Chère lectrice,

Cette année, c'est sûr, nous allons suivre les bonnes résolutions prises aux douze coups de minuit.

Certaines d'entre nous — les plus courageuses ! — jurent de (re)trouver le chemin de la salle de gym ; d'autres — et j'en fais partie — se sont promis de réserver dans leur agenda de janvier une soirée pour un dîner en amoureux… A renouveler le plus souvent possible, bien sûr !

Ce mois-ci, nos héroïnes, elles aussi, ont fait des serments.

Mallory, par exemple, a décidé de séduire Carter qu'elle aime en secret, sans se douter que, lui aussi, ne rêve que de la serrer entre ses bras ! De jolis quiproquos en perspective et *Une tentation irrésistible* (Passion n° 1321)…

Sarah aussi veut pimenter sa vie… et elle n'y va pas par quatre chemins ! En effet, quoi de plus culotté que d'arriver déguisée en Petit Chaperon Rouge dans un bal — où elle n'a pas été invitée… Sans se douter qu'elle va y rencontrer le Grand Méchant Loup. Avec *L'invitation de minuit* (Passion n° 1322), son cœur résistera-t-il au charme de ce séduisant célibataire, si différent d'elle ?

Tina encore (*La liaison secrète*, Passion n° 1324), l'héroïne du premier volume de « La dynastie des Danforth », a la ferme intention d'ouvrir son propre salon de thé. Mais son projet se retrouve mis en question quand elle découvre que Reid Danforth, l'héritier le plus en vue de Savannah, lui a soufflé le local qu'elle convoitait !

A mon tour de vous souhaiter une belle année remplie de lectures passionnantes et passionnées !

collection

L'invitation de minuit

KRISTIN GABRIEL

L'invitation de minuit

Collection Passion

éditions Harlequin

Cet ouvrage a été publié en langue anglaise sous le titre :
PROPOSITIONED ?

Traduction française de
MURIEL VALENTA

83-85, boulevard Vincent-Auriol, 75013 PARIS — Tél. : 01 42 16 63 63
Service Lectrices — Tél. : 01 45 82 47 47
ISBN 2-280-08352-3 — ISSN 0993-443X

1.

Sarah Hewitt ne s'était jamais invitée dans une fête, et jamais non plus elle n'avait forcé un coffre-fort, mais il y avait une première à tout !

La neige crissa sous ses pas comme elle approchait à pas de loup de la demeure des Wolff. La lumière éclatante qui s'échappait par les grandes baies vitrées ornant la façade de l'imposante maison baignait les environs immédiats d'une lueur cristalline presque surnaturelle. Des sapins d'une hauteur imposante flanquaient le portail de fer forgé qui était ouvert, permettant ainsi à Sarah de se glisser discrètement dans la propriété privée.

Après avoir laissé sa vieille Toyota âgée de douze ans dans un petit chemin en contrebas, elle avait parcouru la distance la séparant de la maison des Wolff à pied, le froid piquant de la montagne lui glaçant le visage. Le souffle court autant par la soirée qu'elle s'apprêtait à vivre que par son ascension de la colline, elle laissait échapper à chaque expiration un petit nuage de buée. Sous l'effet du stress, l'adrénaline commença à circuler dans ses veines, la réchauffant de l'intérieur, et elle bougea ses orteils qui commençaient à être engourdis par le froid.

Depuis son poste d'observation sur la montagne, elle pouvait voir les innombrables petits points lumineux qui montaient depuis la ville de Denver, à une trentaine de kilomètres vers l'est. C'est là qu'elle habitait avec son grand-père, qui croyait que Sarah célébrait la nouvelle année avec des amis.

Le vieil homme était loin de se douter qu'elle s'apprêtait à le suivre sur la voie du crime.

Elle marcha rapidement en direction de la maison, se faufilant parmi les ombres, tandis que des limousines noires se succédaient en un flot ininterrompu dans l'allée circulaire. Chacune s'arrêtait brièvement devant l'entrée, pour laisser sortir ses passagers déguisés.

Le bal masqué annuel des Wolff était l'un des événements les plus courus de la vie mondaine de Denver. Du moins, c'est ce qu'elle avait entendu dire. Sarah ne s'intéressait guère à la vie des gens riches et célèbres, bien trop occupée à gagner l'argent nécessaire pour terminer ses études de sociologie. A l'heure actuelle, elle cumulait deux emplois : employée de banque le jour, et serveuse le soir et le week-end.

Quand Sarah avait aperçu une invitation au bal masqué des Wolff sur le bureau du P.-D.G. de la banque, elle y avait vu un coup de pouce du destin, lui offrant l'occasion parfaite de réparer une terrible erreur qui menaçait de revenir hanter sa famille.

Près de l'entrée, dissimulée derrière une imposante colonne de marbre massif, Sarah observa le portier qui accueillait les invités. Dans un frisson, elle resserra les pans de sa longue cape rouge à capuche, se félicitant d'avoir choisi un déguisement chaud.

En effet, la cape de laine, les gants montant jusqu'au coude et les bottes de cuir noir du Petit Chaperon Rouge convenaient parfaitement à une promenade nocturne dans la montagne, en plein hiver. Autre avantage : grâce à ses gants, elle ne laisserait aucune empreinte derrière elle.

Elle contourna la colonne de marbre pour observer l'agitation créée dans l'entrée par une invitée habillée en danseuse de revue de Las Vegas, et dont les plumes de la coiffe étaient coincées dans le chandelier de cristal.

Pendant que le portier tentait de libérer la jeune femme, Sarah en profita pour monter les marches et se faufiler dans l'entrée, avant de se diriger rapidement vers la salle de bal. Elle aurait pu suivre les échos de l'orchestre pour trouver son chemin, mais elle avait appris les plans de la maison par cœur, la veille au soir.

Tout en empruntant le couloir, Sarah retint sa respiration, s'attendant à ce que quelqu'un donne l'alarme avant qu'elle n'ait eu le temps de se fondre dans la foule des invités déguisés. Mais personne n'essaya de l'arrêter et elle se trouva bientôt sur le seuil de la salle de bal, son anonymat préservé grâce à son masque.

Elle exhala un profond soupir de soulagement, même si le plus difficile restait encore à faire. Du regard, elle balaya la pièce, impressionnée par le sol de marbre poli et les chandeliers de cristal suspendus au plafond voûté. Tous les invités étaient masqués et, comme le précisait l'invitation, les identités ne seraient révélées qu'aux douze coups de minuit.

C'est à ce moment précis que Sarah avait prévu d'agir.

Elle consulta sa montre, et constata qu'elle avait encore une heure devant elle, le temps de se mêler aux invités et d'agir comme si elle était l'un d'entre eux. Avant de retourner vers une vie normale. Dans une maison normale. Avec des gens normaux.

Si elle ne se retrouvait pas en prison, bien entendu.

A cette pensée, elle prit une profonde inspiration et sa main se crispa autour du petit panier en osier qu'elle portait. Ce n'était pas comme si elle était venue ce soir pour voler quelque chose. Au contraire. Sarah était ici dans le but de déposer le collier de diamants, qui se trouvait pour l'instant dans son panier, dans le coffre-fort du second étage de la maison des Wolff.

Et elle devait absolument le faire avant que quiconque ne remarque la disparition du collier, et surtout avant que son grand-père, Bertram Hewitt, ne soit accusé du vol. Une fois de plus.

Son grand-père était bel et bien coupable, même s'il estimait avoir agi de plein droit. Quarante ans plus tôt, Bertram Hewitt et

Seamus Wolff s'étaient associés dans une affaire immobilière, achetant des propriétés appartenant à des personnes décédées sans héritiers, et les revendant à profit. Mais après seulement deux années d'affaires prospères, Seamus avait soudainement voulu mettre fin à leur association et partager les capitaux.

Bertram croyait encore dur comme fer que Seamus savait que l'une des malles que celui-ci lui avait réclamée au moment du partage renfermait le collier de diamants. Seamus était ensuite devenu multimillionnaire, utilisant le collier comme garantie pour se lancer dans de nombreuses transactions lucratives. Bertram, pour sa part, vivotait tant bien que mal grâce à sa boutique de prêteur sur gages, persuadé d'avoir été floué par son ami.

Il avait volé le collier une première fois, il y a dix-huit ans, dans l'espoir de sauver son épouse mourante. Mais la police l'avait découvert et il avait été condamné à une peine d'emprisonnement.

L'amertume du vieil homme n'avait fait qu'empirer en prison, et il s'était juré de récupérer le collier coûte que coûte. Et c'est ce qu'il avait fait quelques jours auparavant, se faisant passer pour l'un des peintres qui travaillaient dans la maison alors que la famille Wolff célébrait Noël en Jamaïque. Cette fois-ci, il avait subtilisé le collier avec la meilleure intention du monde : transmettre à Sarah l'héritage qu'il estimait lui revenir.

Heureusement, personne n'avait encore remarqué l'absence du collier, sinon la police se serait déjà présentée à son domicile. C'est pourquoi Sarah devait le remettre aujourd'hui, pendant qu'il restait encore une chance de sauver son grand-père.

— Avez-vous quelque chose pour moi dans ce panier ? demanda une voix grave et sensuelle.

Le cœur battant à tout rompre, Sarah se tourna et se trouva face à un loup qui la dominait de sa haute taille. Le costume était fait dans une fourrure synthétique noire, si épaisse au niveau du torse qu’elle dut réprimer son envie de tendre la main pour la caresser.

— Rien qui ne puisse vous intéresser, mentit-elle. Essayez plutôt le buffet.

Même si elle n’avait pas identifié la voix de l’homme qui venait de l’apostropher, elle aurait reconnu ce regard entre mille : Michael Wolff. Homme d’affaires impitoyable et play-boy notoire, petit-fils de Seamus Wolff, et ennemi naturel des Hewitt.

L’avait-il reconnue ? Elle travaillait pour la banque située dans l’immeuble qu’il possédait, mais elle n’avait jamais eu personnellement à faire à lui. Par ailleurs, son déguisement la cachait des pieds à la tête. Pourtant, il avait mentionné le panier, qui pesait lourdement au bras de Sarah, et elle eut soudain la certitude qu’il en avait deviné le contenu.

Elle jeta un coup d’œil en direction de la porte, se demandant si elle ne ferait pas mieux de prendre la fuite. Elle mesurait un mètre soixante-cinq et faisait partie de l’équipe d’athlétisme du lycée, mais Michael la dominait d’une bonne vingtaine de centimètres, et il était taillé comme un athlète. Elle le savait, car elle l’observait à la dérobée — comme toutes les autres employées — chaque fois qu’il traversait la banque pour emprunter son ascenseur privé. Lui, en revanche, semblait ne pas remarquer l’effet qu’il produisait sur les femmes, pas plus qu’il ne l’avait remarquée, elle.

Jusqu’à ce soir.

Michael se tenait devant elle. Le costume de loup épousait parfaitement son corps, comme s’il avait été confectionné sur mesure — ce qui devait certainement être le cas.

Non, se raisonna Sarah, inutile de s’enfuir. Il l’aurait rattrapée avant même qu’elle n’atteigne la porte.

— Ces bois sont dangereux pour une belle enfant comme vous, dit-il en lui adressant un sourire vorace qui révéla ses dents blanches. Vous seriez-vous perdue en allant rendre visite à Mère-Grand, mon enfant ?

Sarah cligna des yeux, comprenant qu'il ne l'avait pas reconnue, finalement. Il jouait simplement le rôle du Grand Méchant Loup. Elle respira, et décida de rentrer dans son jeu pour ne pas éveiller ses soupçons.

— J'ai décidé de prendre le chemin des écoliers, répondit-elle, en soutenant son regard. Mais ces bois sont de plus en plus mal fréquentés.

Il regarda en direction de la salle de bal.

— En effet. Mais je n'y vois personne d'aussi appétissant que vous, dit-il d'une voix suave qui fit frissonner Sarah.

Etait-il réellement en train de flirter avec elle ? Même si elle envisageait ce soir de forcer un coffre-fort, elle n'avait jamais été attirée par le danger, mais quelque chose dans ces moustaches et dans ces yeux gris qui pétillaient à travers les fentes du masque de soie noire l'intriguait.

— Je suppose que vous dites la même chose à toutes les filles qui se perdent dans vos bois.

— Les bois peuvent se révéler très dangereux, reprit-il en s'avançant d'un pas vers elle.

— Je ne m'effraie pas facilement.

— Mais je suis un loup très affamé, ajouta-t-il en s'approchant encore. Je pourrais passer ma nuit à vous dévorer du regard.

Elle l'entendit une nouvelle fois, cette voix profonde et rauque qui lui indiquait que son intérêt pour elle dépassait le simple badinage — ce qui la troubla. Cela faisait en effet bien longtemps qu'elle n'avait pas été l'objet d'une telle attention de la part d'un homme, et elle se sentit aussi grisée que si elle avait bu le champagne qui, ici, coulait à flots.

Toutefois, elle connaissait aussi la réputation de séducteur de Michael.

— Prenez garde, monsieur le Loup. Vous pourriez bien avoir du mal à me digérer.

— Impossible, rétorqua-t-il avec un sourire qui bouleversa Sarah. Rien ne me résiste.

Ça aussi, elle le savait, mais il ne semblait pas gêné de l'avouer. Nul doute qu'il devait user et abuser de son pouvoir de séduction. Etait-il aussi impitoyable en amour qu'en affaires ? Les résultats incroyables qu'il avait obtenus à la tête de Wolff Enterprises lui avaient valu des articles dans le *Wall Street Journal* et le magazine *Fortune*, et les articles avaient circulé parmi ses collègues de la Consolidated Bank peu de temps après qu'il en eut acquis la maison-mère.

— Vous, en revanche, reprit-il en se penchant vers elle, vous devez certainement être trop tendre. Pourquoi ne pas laisser Mère-Grand se débrouiller toute seule, le temps que nous nous amusions un peu ensemble ?

Ses paroles la touchèrent plus qu'elle ne voulait l'admettre. Sa famille représentait tout pour elle, et c'est pourquoi elle se trouvait là ce soir, à risquer son avenir, au lieu de célébrer la nouvelle année avec ses amis. Une nouvelle année pour laquelle elle avait déjà pris certaines résolutions : être spontanée, prendre plus de risques, sortir.

Avec deux emplois, la dernière résolution était difficile à mettre en pratique. Toutefois, sa réaction au badinage de Michael montrait bien qu'elle était restée éloignée d'une vie sociale depuis bien trop longtemps.

Son corps fut parcouru de picotements alors que le regard approbateur de Michael se promenait une fois encore sur sa gorge déliée. Elle se surprit à se demander ce qu'elle éprouverait au contact de ses moustaches contre sa joue. Ce qu'elle ressentirait si sa grande main se promenait sur son corps.

Oui, cela faisait bien trop longtemps qu'elle était restée éloignée des hommes, et il fallait qu'elle mette immédiatement un peu de distance entre Michael et elle avant de perdre complètement la tête.

— Mère-Grand a besoin de moi, dit-elle en marchant vers le buffet. Je remplis juste mon panier avec ces quelques gourmandises, et je reprends ma route.

Sarah eut envie de se gifler au moment même où ces paroles sortirent de sa bouche : *mais pourquoi avoir mentionné le panier ?* Immédiatement, elle vit le regard de Michael se diriger vers celui-ci, toujours à son bras, et dont le précieux contenu était dissimulé par un rabat. Il n'avait qu'à l'ouvrir pour y trouver l'écrin ancien, tapissé de velours bleu, qu'il ne manquerait pas de reconnaître.

Qu'arriverait-il ensuite ?

Michael attrapa au passage deux flûtes de champagne sur le plateau d'un serveur, et il en tendit une à la jeune femme.

— Trinquez avec moi avant. En l'honneur de la nouvelle année.

La présence de Michael Wolff l'empêchait déjà de raisonner posément, et la dernière chose dont elle avait besoin ce soir était de s'embrouiller un peu plus l'esprit avec de l'alcool.

— Merci, répondit-elle en reposant la flûte, mais je ne bois pas.

— Quelle enfant raisonnable, murmura-t-il, une lueur sauvage dans les yeux.

Ensuite, il porta la flûte à ses lèvres.

Elle s'apprêtait à le contredire, mais se ravisa, se rendant compte qu'il avait raison. Elle s'était toujours conduite de manière raisonnable. Lorsqu'on grandit dans un foyer avec une grand-mère malade et un grand-père criminel, on apprend à ne jamais contrarier ses parents. C'est pourquoi elle avait toujours été première de sa classe et que, ensuite, elle avait réussi à payer ses études universitaires grâce à une bourse et divers prêts étudiants.

Quand ses parents avaient dû déménager en Californie l'année précédente, pour des raisons professionnelles, elle avait quitté son studio pour retourner vivre dans la maison familiale et s'occuper de son grand-père — une tâche rendue difficile quand celui-ci avait décidé de mettre sa retraite entre parenthèses pour recommencer à voler. Pas étonnant, dans ce cas, qu'elle n'ait pas de temps à consacrer à sa vie personnelle !

Sarah observa Michael poser ses lèvres sur le rebord de la flûte de cristal, puis il inclina la tête vers l'arrière. Les muscles de sa gorge ondulèrent pendant qu'il avalait une longue gorgée de champagne, puis il abaissa la tête et posa une nouvelle fois son regard sauvage sur elle. Même la manière de Michael de boire du champagne était sexy…

— Nous avons fait venir le champagne de France par avion. Vous ne savez pas ce que vous manquez, dit-il.

Elle aurait bien cédé à la tentation, mais elle ne pouvait se permettre d'agir de manière inconsidérée, que ce soit pour le champagne ou pour Michael.

— Je n'en doute pas, répondit-elle, en lui tournant le dos. Au revoir, monsieur le Loup.

Refusant de la voir partir, il posa une main sur l'épaule de Sarah, qui sentit immédiatement des picotements parcourir toute la surface de sa peau.

— Dansez avec moi, Petit Chaperon Rouge.

Comme elle hésitait, il en profita pour se rapprocher et murmura :

— Oscar Henley arrive par ici, et si vous ne dansez pas avec moi, je devrai écouter pour la énième fois son ennuyeuse histoire de contrôle fiscal. C'est un si piètre conteur que je finis par éprouver de la sympathie pour les inspecteurs des impôts.

Elle sourit.

— C'est vrai que c'est quelqu'un qui aime s'écouter parler.

— Vous connaissez Oscar ? demanda-t-il, arquant un sourcil.

Mentalement, Sarah grinça des dents. Oscar Henley siégeait au conseil d'administration de la Consolidated Bank. Et dire qu'elle espérait conserver son anonymat ! Elle pouvait peut-être essayer de ruser.

— Comme tout le monde, non ?

Michael rit.

— En effet.

Ensuite, il l'enlaça, avant d'ajouter :

— Et vous devez me sauver.

— Le Petit Chaperon Rouge sauvant le Loup, dit-elle d'un ton songeur. C'est une version complètement inédite du conte de Perrault !

L'orchestre jouait une musique lente, propice à la séduction. Michael tenta de resserrer son étreinte, mais le panier le gênait. Alors, il le fit glisser du bras de Sarah avant que celle-ci n'ait eu le temps de réagir.

Pendant un instant, Sarah paniqua. Mais Michael se contenta de poser le panier sur le bord de la scène, puis il se retourna pour danser avec elle.

Devenait-elle folle ? Elle n'aurait jamais dû le laisser prendre le panier. Ni accepter son invitation à danser. Et dire qu'elle était censée attendre minuit pour se glisser le plus discrètement possible à l'étage pour accomplir sa mission…

Au lieu de cela, elle se retrouvait dans les bras de l'homme-loup, sa joue posée contre son épaule large et velue. Fermant les yeux pendant qu'ils évoluaient souplement en musique, elle se dit que ce loup sentait bien bon. Une fragrance épicée et virile.

Attirer l'attention du grand méchant Michael Wolff ne faisait en aucune manière partie des plans de Sarah, mais elle se laissa bercer par la musique et commença à se décontracter. Après tout, ce n'était qu'une danse. Depuis deux ans, elle dévorait

Michael Wolff des yeux chaque fois qu'elle le voyait traverser la Consolidated Bank. Bon, elle avait aussi un peu fantasmé sur lui. Beaucoup fantasmé, pour être honnête. Alors, pourquoi ne pas saisir l'occasion, ce soir, de réaliser l'un de ces fantasmes ?

Qui plus est, elle pouvait le faire dans le plus parfait anonymat. Michael ne connaîtrait en effet jamais l'identité du Petit Chaperon Rouge, parce qu'elle comptait être partie depuis longtemps quand arriverait l'heure d'enlever les masques.

Michael resserra son étreinte, et son souffle tiède caressa l'oreille de la jeune femme quand il lui chuchota :

— Très agréable.

— Vous semblez surpris.

Son rire profond résonna dans sa poitrine.

— Je n'ai jamais raffolé des bals masqués. Je n'aime pas jouer, surtout quand il est si facile de deviner qui se cache derrière le masque, dit-il en se reculant légèrement pour la regarder. Sauf pour vous, Chaperon Rouge. J'avoue que je ne vois pas qui vous êtes…

Elle espérait bien qu'il en resterait ainsi. Si Michael apprenait sa véritable identité, elle serait jetée dehors sur-le-champ. Les Wolff et les Hewitt étaient ennemis jurés. C'est du moins ce que prétendait son grand-père, et sans doute la raison pour laquelle Michael Wolff avait toujours exercé une telle fascination sur elle.

Par ailleurs, Michael et elle appartenaient à des mondes opposés, et le fait qu'ils dansent ensemble était pour le moins incroyable.

— Pourquoi ne pas jouer le jeu ? finit-elle par répondre. Pas de noms, pas de questions, pas de promesses. Juste deux inconnus qui dansent dans la nuit.

— Je pense à un autre type de danse, rétorqua-t-il avec un regard ardent.

Non, elle n'aurait *jamais* dû venir ici ce soir…

— Vraiment ?

D'un doigt, il dessina lentement la courbe de sa joue, puis sa lèvre inférieure.

— Comme je vous l'ai déjà dit, on peut faire de mauvaises rencontres dans les bois alentour.

Cette caresse sensuelle laissa une trace brûlante sur la bouche de la jeune femme.

— Je n'ai pas peur.

— Menteuse, murmura-t-il d'une voix rauque, avant de prendre son menton dans une main. Mais je vous protégerai. Suivez-moi dans ma tanière.

Elle inspira profondément. Son cœur battait à tout rompre, mais ce n'était pas la peur qui la faisait réagir ainsi.

— Eh bien, quel ego imposant vous avez.

— Il n'y a pas que l'ego, dit-il en souriant.

Malgré elle, Sarah rit.

— Merci pour l'invitation, mais je pense que je serai plus en sécurité dans les bois.

— Vous vous trompez, Petit Chaperon Rouge.

Puis il se pencha vers elle pour l'embrasser.

2.

Douce.

Tel fut le premier mot qui vint à l'esprit de Michael lorsqu'il l'embrassa, goûtant ces lèvres roses et pulpeuses qu'il convoitait depuis la première seconde où il avait posé les yeux sur la jeune femme.

Innocente.

Il cueillit son petit cri de surprise avec sa bouche lorsque ses lèvres se posèrent sur celles de la jeune femme, et il discerna un sentiment d'incertitude au fond de son regard d'émeraude. Du désir, aussi. Un désir qui attisait le sien alors qu'il l'attirait plus près de lui.

Parfaite.

Peut-être était-ce le champagne français, ou le stress incroyable de ces dernières semaines. Ou alors, cela faisait trop longtemps qu'il n'avait pas eu de femme dans ses bras, dans son lit. Quoi qu'il en soit, Michael n'avait pas le souvenir d'un baiser aussi parfait. Aussi bon.

La jeune femme s'agrippa à ses épaules tandis qu'il approfondissait son baiser, ses mains s'accrochant à la fausse fourrure du déguisement. Après un moment, ses lèvres se firent plus douces, et s'entrouvrirent pour l'accueillir dans sa bouche. Si douce. Si innocente. Si parfaite.

Plus il l'embrassait, et plus il avait faim d'elle. Il voulait plus, tellement plus. Mais le bruit des verres s'entrechoquant et le brouhaha des voix autour d'eux finirent par se frayer un chemin dans son esprit, lui rappelant que ce n'était ni le moment ni l'endroit pour poursuivre ce petit jeu.

Malgré lui, Michael releva donc la tête et essaya de reprendre sa respiration. Le costume de loup, qui l'avait horriblement démangé toute la soirée, était devenu encore plus insupportable à cause de la chaleur provoquée par ce baiser.

Son Petit Chaperon Rouge le regarda en clignant des yeux, ses lèvres aussi rouges que sa cape. Il jeta un coup d'œil rapide aux invités, remarquant quelques sourires par-ci, et quelques murmures par-là. Michael était habitué aux ragots, même s'il essayait généralement d'être discret pour ne pas donner matière aux commérages.

Mais que lui arrivait-il ?

Le Petit Chaperon Rouge n'était même pas son type de femme ! En effet, il les préférait sensuelles et sophistiquées, grandes et impétueuses. Alors que la jeune femme qu'il tenait dans ses bras lui arrivait à peine à l'épaule. Il ne l'aurait jamais approchée ce soir si elle ne s'était pas tenue seule, au milieu de la salle de bal, semblant partager la même solitude qu'il éprouvait parfois.

Oui, il avait envie d'elle. A tel point qu'il s'obligea à reculer d'un pas pour ne pas être tenté de la toucher une nouvelle fois.

Embarrassée, la jeune femme s'éclaircit la gorge, tandis que le rouge commençait à lui monter aux joues.

— La musique est terminée, dit-elle.

Mais le désir de Michael était toujours aussi intense. Il voulait plus qu'une danse avec elle, plus qu'un baiser. Mais pas devant une centaine d'invités. Il la voulait rien que pour lui.

Quelqu'un l'appela et Michael se retourna. C'était Oscar Henley, qui gesticulait dans sa direction. La mâchoire de Michael se crispa : il savait qu'il ne pourrait pas lui échapper, cette fois.

La jeune femme remarqua elle aussi Oscar, et elle sourit à Michael.

— Le devoir vous appelle.

Le devoir. Michael lui sacrifiait chaque jour de sa vie. En tant qu'unique héritier de la dynastie des Wolff, il lui revenait de veiller à la prospérité des affaires de la famille, de diriger et de développer Wolff Enterprises, de protéger la fortune familiale.

Une fortune qui pourrait bien être en danger, grâce à la jeune et jolie épouse de son grand-père. Oui, Michael aurait plutôt dû s'en préoccuper, ce soir, au lieu de se comporter de manière insensée avec une mystérieuse jeune femme en rouge.

Toutefois, il n'avait aucune envie de la laisser partir aussi facilement. *Pas de noms. Pas de questions. Pas de promesses,* avait-elle dit, et ces conditions l'avaient intrigué avant cet incroyable baiser. Et maintenant… Maintenant, il voulait connaître son nom. Il voulait tout connaître à son sujet.

Il comprit alors qu'elle devait connaître son identité, car c'était en effet une tradition que l'hôte du bal Wolff se déguise en loup. Ce rôle incombait habituellement à son grand-père, mais Seamus était actuellement hospitalisé pour une fracture de la hanche.

Grâce à sa jeune et jolie épouse.

Michael sentit la colère monter en lui, mais ce n'était pas le moment de réfléchir aux problèmes de la famille Wolff. Il ne le voulait pas. Pas avec le Petit Chaperon Rouge qui se tenait si près de lui, et dont les effluves de son parfum vanillé le rendaient fou. Ils lui rappelaient son baiser, si doux et si innocent. Michael ferma les yeux, partagé entre son sens du devoir et son désir. Il ne demandait qu'à la soulever dans ses bras et l'emporter loin d'ici, laissant derrière eux tous les problèmes, les décisions et les responsabilités qui collaient au nom de Wolff.

Oscar l'appela une nouvelle fois, et Michael rouvrit les yeux pour voir le petit homme trapu traverser la salle de bal à sa rencontre. Il réprima un soupir.

— Je suppose que je dois jouer au gentil hôte…

— Merci pour la danse, répondit-elle en hochant la tête, sur un ton qui sonnait comme un adieu.

Il saisit alors les deux mains de la jeune femme dans les siennes, ses pouces caressant la soie rouge de ses gants.

— Venez me retrouver à minuit. Ici même, devant la scène.

Il voulait être là quand elle ôterait son masque, pour voir son visage.

Hésitante, elle passa sa langue sur ses lèvres. Craignant un refus, il ne lui laissa pas le loisir de parler et dit :

— Pas de noms, pas de questions.

— Pas de promesses, murmura-t-elle en retour.

— Minuit, répéta-t-il doucement, en serrant tendrement ses mains.

Puis il partit.

Minuit n'arriverait jamais assez tôt.

Minuit moins dix.

Sarah commençait à paniquer. Elle avait préparé cette expédition nocturne chez les Wolff dans les moindres détails, apprenant par cœur chaque pièce, chaque escalier, chaque couloir sinueux. Mais il y avait une chose à laquelle elle n'avait pas pensé : Michael Wolff.

Sentant le regard de ce dernier peser sur elle depuis l'autre extrémité de la salle de bal, Sarah décida de changer de plan à la dernière minute, et elle prit la direction des toilettes pour dames au lieu de monter le grand escalier jusqu'au deuxième étage.

Dans les toilettes, elle trouva un escalier de service jusqu'au premier étage. D'après les plans, elle savait qu'elle y trouverait la bibliothèque, des bureaux et une longue galerie abritant des œuvres d'art inestimables. De là, elle emprunterait l'escalier menant au deuxième étage, celui des appartements privés.

Seulement, l'escalier était impraticable pour cause de travaux. Debout dans le couloir sombre, Sarah tenta de garder son sang-froid. Si au moins ce baiser ne l'avait pas laissée si bouleversée. Et si… insatisfaite. Inconsciemment, elle leva la main pour toucher ses lèvres, encore légèrement meurtries par le baiser de Michael.

Venez me retrouver à minuit.

Les paroles de Michael résonnaient dans son esprit, et elle s'appuya un moment contre le mur pour recouvrer son sang-froid. Que se passerait-il si elle avait été réellement une invitée ? S'ils étaient deux étrangers dansant dans la nuit ? Et si elle allait le retrouver à minuit ?

D'un hochement de tête, Sarah chassa cette pensée. Aussi grande soit la tentation, elle ne pouvait se permettre d'y céder. Il fallait qu'elle sauve son grand-père. Serrant résolument son panier dans la main, elle jeta un coup d'œil autour d'elle et tourna sur sa gauche. Comme elle croyait avoir enfin atteint son but, elle se retrouva dans une lingerie.

— Bon, respire profondément pour te calmer, s'ordonna-t-elle, inspirant l'odeur de propre des draps et des nappes.

Fermant les yeux, elle se remémora une fois de plus le plan de l'étage. Si elle se trouvait dans la lingerie du premier étage, alors elle devait tourner à droite en arrivant au prochain couloir, et ensuite à gauche. Ainsi, elle atteindrait normalement l'escalier de service, à l'arrière de la maison.

Comme elle empruntait le couloir d'un pas rapide, elle se surprit à se demander comment réagirait Michael quand elle lui ferait faux bond, à minuit. Serait-il en colère ? Déçu ? De toute façon, il aurait certainement tôt fait de la remplacer.

Mais Sarah ne voulait pas penser à cela, alors qu'elle sentait encore le goût de son baiser sur ses lèvres et la douceur de ses caresses. Sa douceur était sans doute ce qui la surprenait le plus, alors qu'il avait la réputation d'être impitoyable.

Sarah se tourna et fut soulagée d'apercevoir l'escalier de service face à elle. Montant rapidement les marches, elle espéra ne rencontrer aucun employé.

Une fois au deuxième étage, elle s'arrêta un moment, le temps de se repérer. Le long couloir était faiblement éclairé par une applique, à l'autre extrémité. L'interrupteur se trouvait à portée de main, mais elle ne voulait pas risquer de révéler sa présence.

Surtout quand Michael Wolff rôdait dans la maison…

Minuit moins cinq.

Michael se tenait, seul, au milieu de la salle de bal bondée, et il buvait sa cinquième flûte de champagne. Il ne cessait de consulter sa montre, et chaque seconde lui semblait durer des heures.

Avec sa réputation de philanthrope, Michael avait été approché par de nombreux invités qui avaient sollicité un don pour une œuvre quelconque. La plupart croyait qu'il distribuait son argent pour des raisons fiscales — une erreur qu'il ne prenait même pas la peine de corriger. Michael n'était pas un saint, mais il n'avait pas besoin de faire des économies. Loin de là !

Il faisait des dons à des programmes d'aide aux enfants défavorisés et à des hôpitaux pédiatriques. Il donnait aussi anonymement de l'argent à des foyers pour sans-abri et à des projets d'urbanisation. Malheureusement, les médias n'avaient pas tardé à en parler dans les journaux. Et, désormais, tout le monde à Denver savait que Michael aimait donner de l'argent et amis, comme étrangers, venaient en appeler à sa générosité — que ce soit pour une œuvre caritative ou, plus souvent, pour les aider dans un investissement qu'ils étaient en train de bâtir.

Ce soir, les demandes d'argent s'accompagnaient de questions sur la mystérieuse jeune femme qu'il avait embrassée sur la piste de danse. De nombreux invités, et notamment des femmes, tentaient de l'identifier, mais sans succès. Ce qui ne la rendait que plus intrigante aux yeux de Michael. Plus mystérieuse.

Minuit moins quatre.

Même Beatrice, l'épouse de son grand-père, lui avait posé des questions. Elle ne se souciait pourtant guère de sa vie sociale, habituellement. Certainement parce qu'elle l'appréciait peu. Michael, lui, ne lui faisait aucune confiance. Et il avait de bonnes raisons.

Lentement, son regard balaya la salle de bal jusqu'à ce qu'il trouve Mme Seamus Wolff, resplendissante dans son déguisement de Cléopâtre. Ancienne mannequin, grande et élancée, elle avait de longs cheveux noirs qui s'accordaient parfaitement avec son costume égyptien.

Peu importe qu'il n'ait aucune preuve qu'elle ait provoqué la chute de son grand-père dans l'escalier. Pas encore, du moins. Toutefois, ce n'était pas le premier accident de son grand-père depuis qu'il avait modifié son testament, six semaines plus tôt. Seamus s'était en effet jeté dans un fossé avec son antique Packard, à cause d'un problème de freins. Les deux accidents auraient pu être fatals, et Beatrice Wolff serait devenue très riche…

Agée seulement de trente-quatre ans, Beatrice Ballingham avait épousé son grand-père, soixante-dix ans, trois ans plus tôt. Elle était la sixième Mme Wolff, et Seamus se décrivait, en plaisantant, comme un mari en série, divorçant lorsque ses femmes devenaient trop vieilles à son goût.

En vérité, les cinq premières épouses de Seamus s'étaient envolées après quelques mois de vie commune, empochant au passage les cent mille dollars promis dans le contrat de mariage. Un contrat de mariage relativement inhabituel, car il stipulait qu'elles recevraient l'argent uniquement si le mariage durait moins d'un an. Au-delà, elles ne recevraient rien. C'est pourquoi chacune d'entre elles avait préféré prendre l'argent plutôt que partager la vie d'un vieil homme, très riche mais tout aussi grincheux.

Toutes, sauf Beatrice. Sa fidélité avait tellement impressionné Seamus qu'il avait récemment décidé de modifier son testament pour lui laisser une part assez considérable du patrimoine des Wolff — largement plus que les quelque malheureux cent mille dollars. Mais Beatrice était-elle réellement fidèle ou simplement plus cupide — et dangereuse — que ses épouses précédentes ? C'est ce que Michael cherchait à déterminer, avant qu'il ne soit trop tard.

Minuit moins trois.

Il vida sa flûte d'un trait, conscient que la fortune des Wolff constituait à la fois une chance et une malédiction. Certes, il possédait plus d'argent qu'il n'en aurait jamais besoin. Mais comme son grand-père, il lui manquait ce qui n'avait pas de prix et que chaque personne sur cette planète recherchait : l'amour. Parce qu'il ne saurait jamais avec certitude si une femme l'aimait pour ce qu'il était, ou bien si elle aimait, de manière plus prosaïque, son portefeuille bien garni.

Cela ne signifiait pas, toutefois, qu'il avait renoncé entièrement aux femmes. Il aimait leur compagnie, et notamment dans son lit, tant qu'elles comprenaient que le sexe ne signifiait pas obligatoirement amour ou engagement. Il mettait toujours les choses au clair avant d'entamer une nouvelle relation, mais la plupart des femmes restaient persuadées qu'elles pouvaient le piéger. Jusqu'à présent, elles s'étaient toutes trompées.

Minuit moins deux

Son costume de loup le démangeait atrocement, et il réprima l'envie de se frotter le dos contre le mur. D'autant que ces insupportables démangeaisons s'étaient amplifiées depuis sa danse avec le Petit Chaperon Rouge.

Il avait plongé son regard dans ses grands yeux verts — denses et mystérieux — et il avait failli s'y perdre. Désormais, il n'avait qu'une idée en tête : danser de nouveau avec elle. Une danse très, très intime.

Michael promena son regard autour de la pièce, mais il ne vit sa cape écarlate nulle part. Quel corps se dissimulait dessous ? De quelle couleur étaient ses cheveux, sous la capuche ? Quels secrets cachait-elle derrière son sourire ?

Minuit moins une.

Michael soupira et se dirigea vers la scène, se faufilant dans la foule bruyante des invités. Il voulait voir son visage, et faire officiellement connaissance avec la femme qui avait refusé son invitation à le suivre dans sa tanière. Même s'il l'avait dit sur le ton de la plaisanterie, le refus du Petit Chaperon Rouge l'avait étonné et fasciné à la fois. Peut-être ne l'avait-elle pas reconnu ? Ou alors, elle n'était pas impressionnée par sa richesse. L'argent ne comptait peut-être pas pour elle…

Michael regretta de ne plus croire aux contes de fées.

Enfin, minuit sonna à l'horloge. Lentement, il se tourna tandis que son cœur battait la chamade. Des ballons colorés et des confettis pleuvaient du plafond pour accueillir la nouvelle année. Tout autour de lui, des couples s'embrassaient. Les bouchons de champagne sautaient. Il ôta alors son masque, mais ne vit nulle part le Petit Chaperon Rouge.

S'était-elle perdue dans les bois ?

Minuit.

Le premier coup résonna dans toute la maison. Sarah s'immobilisa, une main posée sur la poignée de la pièce où se trouvait le coffre-fort. Michael devait se tenir devant la scène, à la chercher, à l'attendre. Combien de temps attendrait-il ?

Au deuxième coup de minuit, Sarah se dit qu'elle n'avait plus de temps à perdre et elle se pencha pour forcer la serrure — comme le lui avait appris son grand-père.

Au troisième coup, elle se glissa à l'intérieur de la pièce avant de refermer doucement la porte derrière elle. Elle la ferma à clé puis se retourna, son cœur battant à tout rompre.

Ses bottes de cuir s'enfonçaient dans l'épaisse moquette comme sonnait le quatrième coup de minuit. La pièce, qui sentait légèrement le bois de santal, était plongée dans le noir.

Elle se demandait comment agir dans cette obscurité quand sonna le cinquième coup. Fouillant dans son panier, elle en sortit la petite torche électrique achetée l'après-midi même.

Au sixième coup de minuit, elle fulminait parce que la torche semblait ne pas vouloir fonctionner. Elle la secoua, la tapota, mais rien n'y fit et elle se mordit les doigts de ne pas l'avoir essayée avant.

Au septième coup, elle passa à l'aveuglette une main contre le mur, à la recherche d'un interrupteur. Elle le trouva au huitième coup, et elle observa la pièce autour d'elle au moment des neuvième et dixième coups. Elle remarqua une petite table de marbre et une méridienne, sous la fenêtre.

Au onzième coup de minuit, elle éteignit la lumière, de peur que quelqu'un passant dans le couloir n'aperçoive la lumière sous la porte. Elle prenait certainement plus de précautions que nécessaires, mais Sarah ne pouvait risquer d'être découverte.

Au moment du douzième coup, elle réfléchissait aux conséquences de ce qu'elle était en train de faire. Si elle était prise, elle perdrait non seulement son emploi, mais aussi le respect de ses amis. De ses collègues. De Michael.

Surtout Michael.

C'était sans doute idiot, étant donné qu'ils n'avaient jamais été officiellement présentés l'un à l'autre. Ils n'avaient partagé qu'une danse, et un baiser. Un merveilleux baiser.

Elle ne pouvait pas imaginer la tête qu'il ferait en découvrant que son Petit Chaperon Rouge avait forcé le coffre-fort familial. Elle avait donc tout intérêt à se dépêcher avant que la soirée ne touche à sa fin.

Serrant un peu plus l'anse du panier dans sa main, elle commença à marcher lentement en longeant le mur, tâtonnant de sa main libre. Selon son grand-père, le coffre-fort se trouvait entre la fenêtre et la porte, et une fissure dans le panneau de bois du mur permettait de repérer son emplacement. Une fissure invisible décelable seulement au toucher.

Son grand-père lui avait raconté le vol du collier de diamants dans ses moindres détails. Il fallait dire qu'elle lui avait posé de nombreuses questions. Elle en ressentait un peu de culpabilité, d'autant qu'il était tellement fier de sa réussite. Si heureux de lui remettre ce qu'il considérait comme l'héritage lui revenant de droit. Mais Sarah ne pouvait garder le collier. C'était contraire à sa morale, un détail qui échappait complètement à son grand-père, dont l'amertume n'avait cessé de s'amplifier au fil des ans. Il était tellement persuadé que ce collier allait changer le futur de Sarah. Qu'il aurait pu changer le passé et sauver sa grand-mère s'il n'avait pas été pris par la police.

Sarah savait qu'il était vain de tenter le persuader du contraire, et elle avait abandonné. Si jamais son grand-père lui posait des questions au sujet du collier, elle lui répondrait l'avoir déposé en lieu sûr — ce qui ne serait que la vérité. En effet, le coffre-fort des Wolff était le meilleur endroit pour épargner la prison à Bertram Hewitt.

Plongée dans ses pensées, elle en oublia la petite table de marbre qui se trouvait sur son parcours. Elle se cogna le genou dans le meuble, et manqua renverser la lampe qui était posée dessus. Elle eut juste le temps de la rattraper au vol avant qu'elle ne s'écrase par terre.

Elle imaginait aisément qu'une lampe cassée aurait indiqué qu'il s'était produit quelque chose dans cette pièce. Or, il valait mieux pour tout le monde que les Wolff ignorent qu'une personne s'était introduite ici. Il fallait que rien ne mette la police sur sa piste ni celle de son grand-père. Bertram lui avait assuré n'avoir laissé aucune empreinte derrière lui, mais avec les nouvelles techniques de la police scientifiques, comment en avoir la certitude ?

Replaçant la lampe avec précaution, Sarah exhala un soupir impatient. La pièce était immense, et elle ne voulait pas prendre le risque de se cogner dans un autre meuble. Alors, elle se résolut à allumer la lampe le temps de s'orienter.

Elle tâtonna le long du pied de cristal et trouva le bouton. Une lumière douce se répandit alors dans la pièce, et elle vit ce qu'elle n'avait pas eu le temps de voir plus tôt. Il s'agissait d'une chambre, et le lit rond à baldaquin était dissimulé par de lourdes tentures dorées à l'exception de la tête de lit, de bois de santal.

La pièce ressemblait à une oasis en plein désert, avec sa moquette couleur de sable et une véritable fontaine qui gazouillait dans un coin. Des palmiers en pot étaient alignés contre le mur et le plafond était peint d'un bleu apaisant. Quant aux murs, ils étaient constitués de panneaux de pin naturel et ornés de hiéroglyphes de tailles différentes. Il s'agissait sans nul doute de la chambre la plus étrange qu'elle ait jamais vue.

Elle se retourna vers le mur, et promena ses doigts sur le panneau jusqu'à ce qu'elle détecte une discrète aspérité dans le bois.

Sarah fit pression sur la fissure et le panneau secret bascula, révélant le coffre-fort. Elle posa son panier par terre puis prit une profonde inspiration, se préparant à débrancher le système d'alarme. C'était le moment le plus délicat, et si jamais…

— Stop ! s'intima-t-elle.

Comme n'importe quel professionnel, un perceur de coffre-fort devait rester confiant et concentré pour réussir.

Quelques instants plus tard, elle poussa un soupir de soulagement : elle avait réussi à débrancher l'alarme. Maintenant, il ne lui restait plus qu'à ouvrir le coffre, remettre le collier de diamants à sa place, puis disparaître par la porte de service. La soirée devait encore battre son plein, et son départ passerait inaperçu.

Michael l'attendait-il toujours, ou bien avait-il jeté son dévolu sur une autre femme ?

Sarah tourna le cadran pour numéroter la combinaison du coffre-fort que lui avait confiée son grand-père C'est lui qui lui avait appris à forcer les coffres-forts, un savoir-faire qu'il tenait de l'un de ses clients les moins recommandables de sa boutique de prêteur sur gages.

— 54, murmura-t-elle d'une voix tendue.

Elle tourna le cadran dans le sens opposé.

— 13.

Pour l'instant, tout allait bien. C'est alors qu'elle entendit des pas dans le couloir, et elle hésita, tendue. Les pas s'arrêtèrent devant la porte de la chambre où elle se trouvait.

Tout doucement, elle referma le panneau secret tandis que les battements de son cœur cognaient à ses tempes.

Quelqu'un était sur le point d'entrer.

3.

Michael avait coincé la clé dans la serrure, et les insupportables démangeaisons causées par son déguisement étaient sur le point de le rendre fou. Lorsqu'il réussit enfin à ouvrir la porte, il n'attendit même pas d'avoir allumé la lumière pour enlever le haut de son costume d'un mouvement sec. Quelques boutons sautèrent, mais il ne s'en soucia guère. Quel soulagement de pouvoir lancer le haut de son costume à travers la pièce.

Il bouillonnait de rage et de frustration. Il l'avait cherchée partout, inspecté la salle de bal dans ses moindres recoins avant de passer tout le rez-de-chaussée au peigne fin. Il avait même interrogé le portier, mais rien.

Elle s'était volatilisée.

Tout ça à cause de ces stupides déguisements. Au diable les traditions, et tant pis si l'hôte du bal Wolff devait se déguiser en loup. Si Seamus ne voulait pas tenir ce rôle l'année prochaine, ils relégueraient les déguisements aux oubliettes et s'habilleraient avec des smokings, comme des gens normaux. De toute façon, il avait toujours trouvé les bals déguisés ridicules.

Il n'aurait jamais dû la laisser partir. Maintenant, il n'avait aucun moyen de reconnaître son Petit Chaperon Rouge. Son seul espoir consistait à examiner la liste des invités demain et d'essayer de deviner son identité en procédant par élimination.

Toutefois, cela ne changerait rien au fait qu'elle ne s'était pas présentée à leur rendez-vous de minuit. Or, Michael n'avait pas l'habitude de courir après les femmes. D'habitude, c'était plutôt le contraire.

Jusqu'à ce soir.

Elle n'était peut-être même pas inscrite sur la liste des invités ? Accompagnait-elle quelqu'un ? Un homme ? Il n'avait pas envisagé cette éventualité. Non, peu probable, étant donné qu'aucun homme ne s'était interposé quand Michael avait embrassé la jeune femme sur la piste de danse. S'il avait vu son amie dans les pattes d'un loup, il se serait manifesté.

Comme il tendait le bras pour allumer la lumière, il se rendit compte que c'était inutile. La lampe était allumée. Etrange, car il ne l'utilisait jamais. Sans doute l'une des employées de maison aurait oublié de l'éteindre.

Michael s'assit sur la méridienne et ôta ses bottes, ses chaussettes et son pantalon de fausse fourrure. Enfin libre ! Demain, le déguisement irait directement à la poubelle.

Il se mit debout et se dirigea vers un portemanteau mural en forme de flèche de bronze. Beatrice avait acheté cette flèche au cours de sa dernière folie de décoration. Ce mois-ci, elle donnait dans le style arabo-égyptien, et sa chambre en avait fait les frais.

Il trouvait qu'elle était allée un peu trop loin dans sa reconstitution d'un campement nomade — était-ce une manière de lui signifier qu'il n'était pas le bienvenu ? Beatrice n'avait-elle pas répété à maintes reprises qu'un homme de vingt-neuf ans ne devrait pas vivre avec son grand-père ?

« Pas plus qu'une jeune femme de trente-quatre ans », avait-il failli rétorquer. Il savait que Beatrice souhaitait le voir déménager, mais il devait rester pour veiller sur son grand-père.

Seamus Wolff avait élevé Michael depuis l'âge de treize ans, et il avait tout fait pour lui redonner le goût de vivre après que son père se fut tué dans un accident d'avion alors qu'il allait passer un week-end de ski. Michael n'avait plus que Seamus au monde — du moins c'était son seul parent qui comptait. Et il était bien décidé à faire tout ce qu'il faudrait pour protéger le vieil homme.

Michael décrocha la flèche de bronze et s'en servit pour se gratter le dos, laissant échapper un grognement de plaisir tellement ces démangeaisons avaient empoisonné sa soirée. La flèche avait coûté près de deux cents dollars à une vente aux enchères, chez Sotheby's — et il s'en servait pour se gratter le dos !

Les échos de la musique montaient depuis la salle de bal, deux étages plus bas, et il savait qu'il devait y retourner et y rester jusqu'au départ du dernier invité. Mais il ne supportait pas l'idée de devoir enfiler de nouveau son déguisement de loup, de discuter de tout et de rien, ou encore de devoir échapper aux femmes quelque peu éméchées cherchant à flirter avec lui.

Seule une femme comptait ce soir.

Passant une main sur son torse, il regretta d'avoir mis fin à leur baiser, mais Michael détestait s'appesantir sur les regrets. Il était résolu à l'oublier et avancer. Il avait connu d'autres déconvenues et s'en était remis.

Après avoir posé la flèche sur la commode, il se dirigea vers la fenêtre pour ouvrir les rideaux. Immédiatement, la pièce fut baignée par la lumière argentée de la lune. Il se tourna pour éteindre la lampe et, pour la première fois, il détecta une odeur de vanille dans l'air, qui lui rappela le Petit Chaperon Rouge. Le parfum avait dû imprégner son déguisement.

Ramassant le costume, il l'approcha de son visage et inspira profondément, mais la seule chose qu'il y gagna fut une crise d'éternuements.

— Oublie ça, Wolff, marmonna-t-il, en laissant tomber le vêtement à terre.

Pieds nus, il se dirigea vers son lit ridicule qui rappelait une tente bédouine, redoutant déjà la longue journée qui l'attendait, le lendemain. Son grand-père rentrerait de l'hôpital, et il se retrouverait donc exposé à un nouvel « accident ». Michael devrait redoubler de vigilance.

Comme il écartait les lourdes tentures de tissu doré qui entouraient son lit, l'odeur de vanille se fit plus forte. Il n'en crut pas ses yeux lorsqu'il comprit enfin pourquoi : le Petit Chaperon Rouge était assis sur son lit.

Tiens, tiens... Elle s'était finalement décidée à s'aventurer jusqu'à sa tanière !

C'était une catastrophe.

Sarah aurait dû comprendre que son expédition pour remettre le collier à sa place était vouée à l'échec quand cette stupide torche électrique avait refusé de fonctionner.

Non, même avant, lorsqu'elle s'était rendu compte que l'escalier de service était en travaux. Elle aurait dû faire demi-tour à ce moment-là et quitter la résidence des Wolff. Maintenant, il fallait qu'elle trouve le moyen de se sortir de ce mauvais pas avant que Michael ne se fasse de fausses idées.

A en juger par son expression, il était déjà trop tard...

— Comme vous avez de grands yeux, dit-il, se tenant à côté du lit, seulement vêtu d'un caleçon noir.

La vue de ce corps puissant et musclé fit perdre tous ses moyens à Sarah. Elle avait du mal à réfléchir, et encore plus à parler, et elle parvint difficilement à articuler :

— Il me semble que c'est à moi de dire cela.

La large carrure de Michael et ses abdominaux en tablette de chocolat n'étaient pas ceux d'un homme qui passait ses journées derrière un bureau. Sarah se sentait irrésistiblement attirée par la toison brune qui recouvrait son torse, mais elle serra les poings.

Elle savait en effet qu'il serait aussi dangereux de le toucher que s'il s'agissait d'un véritable loup.

Toutefois, ce danger était si tentant…

Prenant une profonde inspiration, elle dit :

— Je ne devrais pas être ici.

— Et moi, je suis ravi de votre présence, répondit-il en tendant la main et en suivant du bout des doigts le gant de soie rouge qui recouvrait le bras gauche de la jeune femme.

Sarah fut comme envoûtée par ce contact. Son regard suivit la main de Michael qui remonta le long de son avant-bras, avant de redescendre.

Elle aurait dû trouver une excuse, sauter du lit et partir en courant. Seulement, le collier de diamants se trouvait toujours dans son panier, et son panier était posé juste sous le coffre-fort. Si elle partait en le laissant, Michael aurait-il un moyen de remonter jusqu'à elle ? Elle avait besoin d'un peu de temps pour réfléchir, et d'un nouveau plan.

Mais comment réfléchir alors que Michael se rapprochait d'elle et que la tenture retombait lourdement derrière lui ? Seule une très faible lueur filtrait entre les pans de tissu épais, de sorte qu'ils se retrouvaient maintenant enfermés dans un cocon sombre et soyeux. Sarah avait du mal à distinguer le visage de Michael, ce qui ne rendait la situation que plus irréelle. Plus fantastique.

Jusqu'à ce qu'il l'embrasse. Le goût de son baiser était en effet bien réel. Enivrant. Délicieux. La bouche tiède et ferme de Michael caressa celle de la jeune femme d'une manière qui la fit se pencher vers lui pour réclamer plus.

Michael émit un profond grognement de satisfaction en approfondissant son baiser, et elle dut s'agripper à ses larges épaules pour ne pas tomber sur le lit, sentant sa peau tiède et ses muscles puissants sous ses doigts.

Michael vint s'installer près d'elle sans cesser de l'embrasser, et il laissa ses doigts glisser sous la gorge de la jeune femme, jusqu'au nœud de sa cape. Il réussit enfin à le défaire, et les pans du vêtement s'entrouvrirent pour révéler la chemise de soie qu'elle portait en dessous.

Interrompant leur baiser, il utilisa ses deux mains pour baisser délicatement la capuche et révéler les cheveux de la jeune femme, tirés en queue-de-cheval. Il les libéra, et les mèches indisciplinées de cheveux bruns bouclés vinrent encadrer son visage. Entortillant une mèche autour de son index, il s'en caressa la joue.

— Doux, dit-il d'une voix rauque, le regard intense.

Michael fit ensuite glisser la cape sur les épaules de Sarah et son regard rempli de convoitise alluma un brasier au cœur de sa féminité.

Sarah tendit alors une main mais, au lieu de le repousser, elle la posa contre son torse, dans sa toison soyeuse. Les muscles de Michael se contractèrent à son contact, et elle pouvait sentir sous ses doigts les battements rapides de son cœur.

Des battements presque aussi rapides que son cœur à elle.

— Quels puissants muscles vous avez, murmura-t-elle, sachant d'instinct combien il était dangereux de taquiner un loup.

Toutefois, Sarah semblait incapable de s'arrêter. En fait, elle ne le *voulait* pas.

— C'est pour mieux vous tenir, mon enfant, répondit Michael avant de l'embrasser d'une manière plus possessive.

Il posa ses grandes mains sur les épaules de Sarah, et sa tiédeur se communiqua à la jeune femme à travers la soie fine de sa chemise.

Il l'attira plus près de lui, jusqu'à ce que leurs deux corps soient collés l'un contre l'autre. Soie contre peau. Douceur contre force. Ce contact intime ne fit qu'attiser le désir de Sarah, qui oublia tout à part cet homme et cet instant.

Pendant que leurs langues se frôlaient dans une caresse des plus sensuelles, les doigts de Michael défirent un à un les boutons de sa chemise. La fermeture Eclair de sa jupe. Jusqu'à ce qu'elle ne porte plus rien, si cc n'est son soutien-gorge et sa culotte de dentelle rouge, achetés la veille sur un coup de tête, pour mettre en application sa résolution du nouvel an de pimenter sa vie : plus d'ennuyeux sous-vêtements blancs !

— Comme vous avez de grandes mains, dit-elle dans un souffle, alors que les mains de Michael se faisaient de plus en plus curieuses.

— C'est pour mieux vous ravir, mon enfant, répondit-il.

Même si elle ne pouvait pas le voir, elle devinait son sourire carnassier.

Et il tint sa promesse, avec une tendresse qui l'émut autant qu'elle l'excita.

Les grandes mains de Michael enlevèrent d'abord le soutien-gorge de Sarah avec une telle dextérité qu'elle se crut en plein rêve. Ensuite, ces incroyables mains descendirent.

Une sorte de folie de minuit s'empara de la jeune femme, et elle se trouvait désormais dans l'incapacité totale de réfléchir. Seulement sentir, ressentir, ce corps dur et tiède appuyé contre le sien. La douce pression de ses mains. La chaleur urgente de ses baisers.

Bientôt, ils furent tous deux nus. Affamés. A la recherche de ce plaisir qu'ils savaient pouvoir trouver chez l'autre.

Michael goûta chaque centimètre de Sarah, sa langue explorant ses seins, son ventre, l'intérieur de ses cuisses. Cette exploration affamée la rendit folle. Une folie qu'il partagea quand elle lui fit subir le même supplice.

— Oh, Chaperon Rouge, murmura-t-il d'une voix haletante alors que les cheveux de la jeune femme frôlaient son estomac.

Finalement, Michael la fit se redresser pour l'embrasser. Avec gourmandise. Le corps nu de la jeune femme se trouvait maintenant au-dessus de lui, et elle ne fut pas surprise de découvrir que les deux corps s'harmonisaient parfaitement.

Ensuite, il la fit rouler sous lui, tendit le bras vers le tiroir de la table et en sortir un préservatif. Il déchira l'emballage d'un coup de dents puis laissa échapper un petit cri de plaisir quand elle le déroula sur son membre.

Quand il tenta de lui ôter son masque, elle hocha négativement la tête, déterminée à préserver son anonymat pour prolonger leur petit jeu. Deux étrangers dans la nuit. *Pas de noms. Pas de questions. Pas de promesses.*

Seul Michael faisait des promesses. Avec ses mains. Sa bouche. Son corps. Enfin, il s'immergea en elle et commença à bouger avec une lenteur délibérée pour mieux savourer le délice du moment. Jamais aucun homme ne lui avait fait l'amour de cette manière. Jamais avec une telle faim sauvage. Un tel besoin. Une telle passion. Une passion animale qui maintenant la consumait, révélant ses instincts les plus primaires. Ses mains se promenèrent sur le dos de son compagnon pendant qu'elle était emportée par un tourbillon de sensations inouïes.

— Michael, cria-t-elle, voulant plus de lui.

Voulant tout de lui.

— Chaperon Rouge, répondit-il dans un souffle, en frôlant sa bouche avec ses lèvres.

Ensuite, il bougea légèrement, et se mit dans une position qui ne fit qu'amplifier les sensations incroyables qui assaillaient le corps de Sarah, et il n'en fallut pas plus pour l'emporter vers les cimes du plaisir.

Elle l'entraîna avec elle, et le corps de Michael se crispa entre ses bras avant un dernier coup de reins. Il enfouit son visage dans le cou de la jeune femme, sa respiration aussi saccadée et haletante que la sienne. Lorsque, enfin, il reprit sa respiration, il se tourna sur le côté, la tenant enlacée contre lui.

— Je ne te laisserai pas partir, chuchota-t-il.

Ses yeux se fermèrent, et son étreinte se resserra autour de la jeune femme, l'attirant encore plus près de lui.

Sarah exhala un profond soupir de satisfaction, son corps vibrant encore des merveilleuses sensations qui l'avaient envahie. La tiédeur du grand corps de Michael l'enveloppait tendrement. Fermant les yeux un moment pour goûter à ces derniers instants, elle se dit que le rêve allait bientôt prendre fin. Mais pas encore.

Pas tout de suite.

Sarah se réveilla lentement le lendemain matin, alors que les rayons du soleil inondaient la pièce par les rideaux ouverts. La lumière la fit cligner des yeux. Elle bâilla paresseusement, puis se rendit compte qu'elle était nue entre les draps de soie.

Nue dans les bras de Michael Wolff.

La panique s'empara d'elle comme une décharge de caféine : hier soir, elle s'était endormie et n'avait pas remis le collier à sa place dans le coffre. Elle allait avoir de gros ennuis…

Son corps se crispa pendant qu'elle écoutait la respiration profonde et régulière de Michael. Au moins, il dormait toujours, et elle avait peut-être une chance de disparaître avant son réveil.

En prenant garde de ne pas le réveiller, elle se glissa hors du grand lit rond. Comment avait-elle pu s'endormir, hier soir ? Elle se souvenait avoir attendu dans les bras de Michael que celui-ci s'assoupisse. La chaleur de son corps nu contre le sien. La sensation de bien-être qu'elle avait ressentie. Le fol espoir d'autres nuits ensemble.

Un espoir, hélas, impossible. Elle était l'instrument de son propre cauchemar. Elle tenait désormais la preuve indéniable qu'elle n'était pas faite pour être une criminelle — comme si passer la nuit avec l'ennemi juré de la famille ne suffisait pas à le prouver !

Toutefois, Sarah n'avait pas le temps de réfléchir à tout cela pour le moment. Elle devait s'habiller, remettre le collier dans le coffre-fort, puis disparaître.

Nerveuse, elle se mit en quête de rassembler ses vêtements. Elle retrouva sa culotte, son soutien-gorge, ses bottes et la cape, mais les gants, la chemise et la jupe devaient encore se trouver dans le lit, avec Michael.

Ne voulant pas prendre le risque de le réveiller, elle enfila rapidement ses sous-vêtements, puis noua le ruban de sa cape autour de son cou. Elle mit ensuite ses bottes dans le panier. Elle ne les passerait qu'une fois sortie de la maison, pour faire le moins de bruit possible.

Son panier se trouvait toujours par terre, sous le coffre-fort. Heureusement, Michael n'avait pas remarqué sa présence, hier soir, sinon il n'aurait pas manqué d'avoir des soupçons.

Des souvenirs de leur nuit ensemble la submergèrent, et elle rougit malgré elle. Avec le recul, elle se rendait compte que faire l'amour avec Michael Wolff représentait une erreur monstrueuse. Mais elle y réfléchirait plus tard. Quand elle aurait quitté cette maison.

Se dirigeant sur la pointe des pieds vers le coffre-fort, elle ouvrit doucement le panneau de bois. Le léger grincement la fit grimacer. Elle lança alors un coup d'œil par-dessus son épaule, mais elle ne perçut aucun mouvement dans le lit. Les tentures dissimulaient Michael, et elle espéra qu'il dormait toujours aussi profondément.

54. Se répétant de garder son calme, Sarah tourna le cadran du coffre-fort, et elle sentit sous ses doigts un léger déclic quand elle composa le premier chiffre de la combinaison.

13. Elle tourna le cadran en sens inverse, alors que les battements de son cœur tambourinaient à ses tempes.

61. Avec satisfaction, elle entendit le petit « clic » du dernier chiffre. Elle y était presque.

Lentement, Sarah ouvrit la lourde porte blindée du coffre-fort et se félicita qu'elle ne grince pas. Ensuite, elle attrapa l'écrin de velours dans le panier, en espérant ne plus jamais le revoir de sa vie.

Avec précaution, elle déposa l'écrin à l'intérieur du coffre-fort et poussa un soupir de soulagement.

C'est alors que la voix de Michael lui demanda sur un ton froid et sévère qui la glaça sur place :

— Que fais-tu ?

4.

Incrédule, Michael se frottait les yeux : son Petit Chaperon Rouge se tenait à l'autre bout de la pièce, la main dans le coffre-fort. Non, il devait rêver, être au beau milieu d'un cauchemar horrible.

Il se leva d'un bond et écarta les tentures du lit d'un geste brusque. Voyant les jolis yeux verts fixés sur son corps, il se rendit compte qu'il était nu, mais il était trop furieux pour s'en soucier.

— Tu n'as pas répondu à ma question, gronda-t-il.

La jeune femme portait toujours son masque et sa cape, mais la capuche était baissée et sa chevelure noire soyeuse était relâchée sur ses épaules.

Il se rappela la sensation de cette chevelure sur sa peau pendant qu'elle explorait son corps avec sa bouche… *Merveilleuse torture.*

Michael se retourna brusquement et attrapa son peignoir qui était accroché près du lit. Il l'enfila à la hâte, avant qu'elle n'ait eu le temps de voir l'effet que ces souvenirs sensuels produisaient sur lui.

Quand il lui fit de nouveau face, le regard de la jeune femme plongea dans le sien, et il la vit déglutir.

— Je… Je…, bafouilla-t-elle.

Michael attendit, espérant qu'elle lui fournirait une explication rationnelle. Il ne demandait rien d'extraordinaire, seulement la même chose que d'habitude : qu'elle lui explique qu'elle avait couché avec lui pour son argent, comme toutes les autres avant elle… Mais contrairement aux autres femmes, Chaperon Rouge n'avait pas eu la patience d'attendre de voir si elle pouvait le séduire et se faire épouser ! Il semblait évident qu'elle voulait sa part du gâteau immédiatement.

— Tu es douée, concéda-t-il, se rendant compte que la nuit dernière avait été un jeu à bien des égards. Très douée. Je n'aurais jamais deviné que tu n'étais qu'une vulgaire voleuse.

— Je ne suis pas une voleuse ! se défendit-elle. Je peux tout t'expliquer.

— Inutile, lança-t-il, en croisant ses bras sur sa poitrine tandis que la déception cédait peu à peu la place à la colère. Une vulgaire voleuse ne séduit pas ses victimes avant de commettre son crime. Tu es plutôt une manipulatrice froide et calculatrice.

— C'est toi qui m'as séduite ! répliqua-t-elle, avec un regard qui lançait des éclairs. Je n'ai jamais voulu que tout ceci arrive entre nous.

— Dans ce cas, demanda-t-il en haussant les sourcils, pourquoi m'attendais-tu dans mon lit ?

— J'ignorais que c'était ton lit. J'ai entendu quelqu'un entrer dans la pièce, et j'ai cherché un endroit où me cacher…

Elle s'interrompit, se rendant compte qu'elle ne faisait qu'aggraver son cas.

Michael ne comprit que trop bien la situation, et il eut l'impression d'être le roi des imbéciles.

— Alors, quand je t'ai découverte dans mon lit, tu as décidé de détourner mon attention en faisant l'amour avec moi ?

Devant le silence de la jeune femme, il éprouva une sorte de pincement au creux de l'estomac et il se força à sourire.

— Je dois admettre que tu as parfaitement réussi, presque au point de me convaincre de te laisser partir. Toutefois, ajouta-t-il en décrochant le téléphone, je vais te décevoir car je ne suis pas stupide à ce point.

— S'il te plaît, dit-elle en s'approchant pour lui saisir le bras. Ne fais pas cela.

Mais il ignora sa supplique et se dégagea. C'est alors que les pans de la cape s'écartèrent, offrant à Michael la vue de ses dessous sexy. Les courbes voluptueuses de son corps. Un corps qu'il pouvait dessiner même les yeux fermés.

Une nouvelle vague de déception le submergea pendant qu'il composait le numéro de téléphone du commissariat de police. La plus fantastique nuit de sa vie n'avait été qu'un mensonge. Ses baisers. Ses gémissements. Sa passion.

Rien qu'un mensonge.

— Je voudrais signaler un cambriolage, annonça-t-il à l'opératrice.

— Michael, attends, supplia Sarah. S'il te plaît. Ce n'est vraiment pas ce que tu crois. Je ne volais pas le collier. Je le remettais à sa place.

Il entendit à peine ce que la jeune femme venait de lui dire. Il pensait à la suite : il devrait porter plainte contre elle, raconter à la police ce qu'il s'était passé entre eux. De quelle manière il l'avait trouvée dans son lit, lui avait fait l'amour. Il devrait peut-être même répéter son récit au tribunal. Le moindre détail de la nuit passée avec cette femme. Et il devrait même reconnaître qu'il ignorait son nom !

— Commissariat de police de Denver, aboya une voix de l'autre côté du téléphone.

Michael hésita un moment, puis il raccrocha. Il ferait sans doute mieux de s'occuper lui-même de cette affaire. C'est alors qu'il eut une nouvelle idée, tellement insensée qu'il n'aurait même pas dû y penser. Pourtant, plus il y réfléchissait, et plus elle le séduisait…

Quand enfin il se tourna vers Sarah, Michael vit des larmes briller dans ses yeux. On aurait presque pu croire à de vrais pleurs. Décidément, c'était une excellente comédienne !

Elle était peut-être exactement ce dont il avait besoin.

— Alors comme ça, tu remettais le collier à sa place ? demanda-t-il pour gagner du temps. Je ne suis pas sûr de comprendre.

— Tu comprendras quand je t'aurai donné mon nom.

Il attendit, pendant que la fragrance de vanille de la jeune femme l'enveloppait et l'ensorcelait.

— Sus-je censé le deviner ? demanda-t-il.

Pour la première fois de sa vie d'homme, Michael se demanda s'il l'avait satisfaite, la nuit dernière. Ensuite, il se demanda pourquoi il s'en souciait.

Il sentait la colère monter en lui, se souvenant combien il avait été curieux de connaître son nom après avoir dansé avec elle, la veille au soir.

— Voyons voir… Lola ? Jézabel ? Dalila ? tenta-t-il sur un ton ironique qui fit rougir la jeune femme.

— Sarah.

Sarah… Un nom aussi doux et innocent que la femme qu'il avait tenue dans ses bras, la nuit dernière. Un nom tellement éloigné de la voleuse froide et calculatrice qu'il avait surprise une main dans son coffre-fort, ce matin.

Relevant le menton, elle précisa :

— Sarah Hewitt.

Hewitt. Ce nom lui semblait familier, mais il n'arrivait pas à le resituer. Sans compter que la vue de ce joli visage n'aidait pas à la concentration.

— Et ?

Elle sembla surprise qu'il ne reconnaisse pas le nom de son grand-père.

— Mon grand-père s'appelle Bertram Hewitt.

— Et ? répéta-t-il, toujours aussi peu avancé.

Elle essayait peut-être de détourner son attention avec cette histoire de nom. Si tel était le cas, elle perdait son temps. La manière dont sa cape s'entrouvrait suffisait largement à le distraire.

Elle paraissait gênée par le regard de Michael, qui avait une vue parfaite sur sa culotte de dentelle rouge. Son ventre plat. La forme arrondie de ses seins dans le soutien-gorge rouge.

Ou alors, elle savait exactement ce qu'elle faisait. Tout cela faisait partie de sa stratégie. Michael se rappela que le plan de la jeune femme avait parfaitement fonctionné la veille au soir, et il s'intima d'être plus vigilant.

— Mon grand-père s'est associé à Seamus Wolff en 1950, expliqua-t-elle sur un ton exaspéré. Hewitt et Wolff, Agents immobiliers. Ça te rappelle quelque chose ?

Oui, il commençait à comprendre.

— Tu veux dire que tu es de la même famille que ce vieux chnoque loufoque qui nous a cambriolés il y a quelques années ?

Sarah pinça les lèvres.

— Il n'est pas loufoque. Seulement… amer. Il a passé sa vie à croire que ton grand-père l'avait trahi, et il n'a aucun moyen de le prouver.

— Trahi ? répéta Michael. Contrairement à ta famille, Chaperon Rouge, les Wolff ne sont pas des voleurs. Nous ne nous introduisons pas en douce chez les gens… et encore moins dans leur lit.

Les joues de la jeune femme devirent écarlates.

— Je n'espérais pas qu'un homme comme toi comprendrait, mais…

— Un homme comme moi, la coupa-t-il en s'approchant d'elle.

Il savait en effet que les gens étaient souvent impressionnés par sa haute taille, et il voulait la décontenancer — exactement comme elle le faisait avec lui depuis leur premier baiser.

— Qu'entends-tu par là ? reprit-il.

Sans se laisser démonter, elle rétorqua en lui adressant un regard perçant :

— Tu le sais très bien. Tu es riche. Puissant. Sans pitié.

— C'est tout ? la défia-t-il, en se rapprochant encore un peu. Est-ce que tu n'oublies pas aussi passionné ? Expérimenté ? Bon amant ?

Michael se dit qu'elle ne pourrait pas rougir plus, mais il se trompait. Malgré sa colère, il ne manquait pas d'être troublé par une telle contradiction : elle était à la fois une voleuse calculatrice, et une innocente rougissante… Elle interprétait les deux rôles de manière très convaincante.

Ce qui le fit réfléchir une fois de plus à l'occasion qui se présentait à lui : *allait-il prendre le risque ?*

Sarah resserra les pans de sa cape autour d'elle, comme si elle se rendait enfin compte que son corps était exposé de manière indécente.

— Est-ce que tu serais soulagé si je reconnaissais avoir commis une erreur, hier soir ? Une énorme erreur ? Je te demande pardon.

Mais Michael ne se sentit pas soulagé pour autant.

— J'attends toujours de savoir pourquoi je ne devrais pas te dénoncer à la police pour cambriolage.

— Je comprends bien que tu n'aies aucune raison de croire ce que je te raconte, répondit-elle en soutenant son regard. Mais je vais pourtant te raconter la vérité, ce que j'aurais dû faire quand nous nous sommes rencontrés.

— Je sais combien il est difficile de se défaire des mauvaises habitudes…

Elle préféra ignorer le sarcasme de ses dernières paroles, et continua :

— Je suis venue hier soir dans l'intention de rendre le collier de diamants. Mon grand-père l'a volé pendant que ta famille passait les fêtes de Noël à la Jamaïque. C'était devenu une obsession, comme sa soif de vengeance qui l'habite depuis plus de cinquante ans.

— Tu es en train de me raconter qu'un vieil homme a réussi à déjouer un système de sécurité hyper sophistiqué, et que je ne me suis rendu compte de rien ?

— Il est peut-être vieux et amer, mais il n'est pas stupide, répliqua Sarah. Il a appris beaucoup d'astuces en prison, après avoir été condamné pour le premier vol du collier. Des astuces qu'il m'a apprises. Mais je n'en avais jamais fait usage jusqu'à aujourd'hui. Je le jure.

— Tu me rassures, dit Michael sur un ton ironique.

— Je suis là pour lui, reprit-elle sans relever. Parce que je ne peux pas imaginer qu'il retourne en prison. Parce que je l'aime, mais tu ne comprends peut-être pas ce que je veux dire, ajouta-t-elle, le menton tremblant.

Si, il comprenait, et mieux qu'elle ne le pensait. Néanmoins, il n'était toujours pas convaincu de sa sincérité. Le vieux Bertram Hewitt était un escroc notoire. Pourtant…

— Pour mettre les choses au clair, reprit-elle en redressant les épaules, si tu appelles la police, je ne leur raconterai pas ce que je viens de te raconter. Il n'y a aucune preuve, alors ce sera ta parole contre la mienne. Mon grand-père est trop vieux pour retourner en prison.

Michael lui adressa un regard étonné :

— Tu veux aller en prison à sa place ?

— Je ne le veux pas, répondit-elle d'une voix si basse qu'il l'entendit à peine. Mais je le ferai si c'est nécessaire.

Bon sang ! Non seulement belle et maligne, mais aussi généreuse et désintéressée. Il ne pouvait détourner son regard de la jeune femme, se demandant encore s'il pouvait la croire. Si elle savait à quel point il la désirait !

Tout le problème était là : Michael n'était simplement pas prêt à laisser partir cette femme, voleuse ou non. Alors, pourquoi ne pas profiter de ses talents ? Que ce soit au lit, ou en dehors ?

Mais il ne la forcerait jamais à coucher avec lui. Il voulait qu'elle vienne vers lui librement. Qu'elle le désire lui, et pas son collier de diamants ni son argent.

Seulement lui.

Il laissa le silence s'installer entre eux, et l'angoisse de la jeune femme était presque palpable. Quand elle pâlit au point qu'il la crut prête à défaillir, Michael prit enfin la parole :

— Je ne vais pas appeler la police pour te dénoncer ni dénoncer ton grand-père.

Il vit une étincelle d'espoir s'allumer au fond de son regard d'émeraude.

— Mais à une condition, reprit-il.

Immédiatement, l'espoir de la jeune femme se transforma en défiance et ses yeux s'assombrirent.

— Quel genre de condition ?

Espérant ne pas être sur le point de commettre la plus grosse erreur de sa vie, Michael inspira profondément avant d'expliquer :

— Mon grand-père rentre de l'hôpital aujourd'hui. Il sera pratiquement cloué au lit pendant plusieurs semaines, le temps de se remettre d'une fracture de la hanche. Je vais t'engager comme garde-malade à plein temps.

— Moi ? dit-elle, en arquant les sourcils.

— Oui, et tu t'installes sur-le-champ.

— Ici ? bafouilla-t-elle, de toute évidence décontenancée par les conditions inattendues de Michael. Je ne comprends pas. Pourquoi veux-tu m'engager ? Je ne connais rien au métier d'infirmière.

— Ce n'est pas d'une infirmière dont il a besoin, expliqua Michael. Seulement d'une personne pour lui apporter à boire et arranger ses oreillers.

— C'est tout ? demanda-t-elle avec un regard suspicieux.

— En réalité, il y a une autre chose.

Michael vit la jeune femme se crisper, comme si elle attendait une proposition malhonnête. La tentation était grande : Sarah Hewitt avait bien couché avec lui pour sauver son grand-père. Pourquoi ne le ferait-elle pas pour se sauver ? Mais était-ce vraiment ce qu'il attendait d'elle ?

Non. Il voulait que Sarah vienne à lui poussée par son désir, et non par désespoir. Parce qu'elle avait envie de lui autant qu'il avait envie d'elle. Une envie qu'il était déterminé à assouvir pour pouvoir avancer. Comme il le faisait toujours.

— Alors ? demanda-t-elle, d'une voix impatiente.

Michael comprit qu'il tenait cette femme entièrement à sa merci, et c'était une sensation grisante — même pour un homme qui se trouvait à la tête d'une immense fortune et d'un empire industriel.

Passant à côté d'elle pour fermer le coffre, Michael dit alors :

— Je veux que tu voles quelque chose pour moi.

— Je… Je ne comprends pas.

— J'ai besoin d'un voleur, expliqua-t-il en se tournant pour faire face à la jeune femme.

— Pourquoi ? Tu es déjà riche.

Il sourit devant une telle naïveté : comme si l'argent pouvait résoudre tous les problèmes !

— L'objet que je veux que tu voles n'a pas de valeur marchande. Du moins, pas pour l'instant.

Sarah le regarda en levant les sourcils d'un air interrogateur.

— Je vais t'expliquer simplement les choses, répondit-il. Je veux que tu dérobes le testament de mon grand-père. Il l'a modifié il y a six semaines, laissant le plus gros de sa fortune à sa femme. S'il meurt, elle deviendra immensément riche.

— Et alors ? répondit Sarah. S'ils sont mariés... A moins que tu lui en veuilles de ne pas t'avoir nommé comme son héritier ?

Michael haussa les épaules.

— Je me moque de son argent. J'en ai déjà plus que je n'en aurai jamais besoin.

— Dans ce cas, je ne vois pas le problème.

— Je crois qu'elle essaie de le tuer.

Sarah garda le regard fixé sur lui, sous le choc de ses accusations. Elle en aurait presque oublié sa situation.

— *Le tuer ?* As-tu des preuves ?

— Aucune, reconnut-il. Et c'est pour cela que j'ai besoin de toi. Je veux que tu voles le testament, afin que j'aie le temps de réunir des preuves suffisantes pour convaincre mon grand-père que sa femme représente un danger pour sa vie.

Michael semblait très sérieux. Ou alors sérieusement paranoïaque. D'une manière ou d'une autre, son plan n'avait aucun sens, et Sarah tenta de reprendre ses esprits pour lui faire entendre raison.

— Même si j'acceptais de dérober le testament, commença-t-elle, à quoi cela servirait-il ? Son avocat doit en avoir un exemplaire.

— Il n'y a aucune copie, répondit Michael. L'avocat de mon grand-père est actuellement en vacances en Europe, et il ne rentre que dans un mois. Mon grand-père ne fait confiance à personne d'autre que lui, et il n'y a donc qu'une seule copie de ce testament jusqu'à son retour. L'exemplaire que tu vas voler pour moi.

Il semblait tellement sûr de lui. Et d'elle. Sarah n'aimait pas se retrouver acculée, mais avait-elle vraiment le choix ? Soit elle acceptait le marché de Michael, soit elle était arrêtée par la police et risquait la prison.

— Où se trouve ce testament ? demanda-t-elle malgré elle.

Elle n'avait jamais rien volé de sa vie, si ce n'est quelques heures incroyables dans le lit de cet homme, et elle allait les payer au prix fort.

— Mon grand-père conserve son testament dans son coffre-fort, dans la chambre qu'il partage avec Béatrice, sa femme.

La jeune femme hocha gravement la tête, trouvant que le plan de Michael comportait de nombreuses failles.

— Si je vole son testament, il n'aura qu'à en écrire un autre.

— Je m'en occupe.

Apparemment, il avait déjà pensé à tout. Riche. Puissant. Impitoyable. Un homme qui pouvait faire tout ce qu'il voulait. Même faire chanter une femme après lui avoir fait l'amour.

— As-tu vraiment la certitude que ce nouveau testament existe ? insista-t-elle, cherchant un moyen de se désister. L'as-tu vu ?

Il lui répondit par un signe de tête sec, de toute évidence de plus en plus agacé par toutes ces questions.

— J'étais l'un des témoins.

Toutefois, Sarah n'était pas encore prête à abandonner. Cet homme lui demandait ni plus ni moins de commettre un crime, et elle ne le connaissait pas suffisamment pour savoir quelle était sa motivation réelle.

— Est-ce que ton grand-père la soupçonne ?

— Non. Il est trop amoureux, expliqua Michael avec un regard ardent. Il n'a pas conscience combien une jolie femme peut être dangereuse, ajouta-t-il en la regardant droit dans les yeux.

Hors de question qu'elle s'excuse une nouvelle fois ! Michael ne s'était pas contenté d'être un simple spectateur, la nuit dernière. Le seul fait de repenser à toutes ses délicieuses caresses lui fit monter le rouge aux joues.

Littéralement prise au piège dans la tanière du loup, Sarah ferma les yeux.

— Et si je refuse ?

— Tu sais très bien ce qui se passera.

Elle rouvrit les yeux : quelque chose dans la voix de Michael lui fit se demander s'il bluffait ou non. Etait-ce une intonation de regret ? Voire de culpabilité ? Non, rien de cela ne collait avec sa réputation d'homme au cœur de pierre. C'était plutôt son imagination qui lui jouait des tours.

— Donc, pour éviter que tu n'appelles la police, résuma-t-elle, je dois m'installer dans cette maison, m'occuper de ton grand-père et dérober son testament ?

— C'est bien cela. Et je veux que tu laisses la porte du coffre-fort bien ouverte, pour que Beatrice sache que le testament a disparu. Sinon, quel intérêt ?

— Et si l'on me surprend ?

— Nous ferons en sorte que cela n'arrive pas.

Maintenant, elle percevait dans sa voix quelque chose qui lui indiquait qu'il attendait d'elle plus que le vol du testament de son grand-père. Leurs regards se croisèrent, et elle fut surprise que celui de Michael lui rappelle autant celui d'un véritable loup : patient, calculateur, observant sa proie.

Son instinct lui intima de fuir, parce que cet homme était réellement dangereux : non seulement il pouvait la faire priver de sa liberté, mais il pouvait aussi lui ravir son cœur.

Mais uniquement si elle le laissait faire.

Michael Wolff avait beau être riche, puissant et impitoyable. Il pouvait être passionné, expérimenté et bon amant. Très bon amant. Mais il ne possédait ni sa raison ni son corps. En réalité, il serait peut-être même très satisfaisant de montrer à ce loup qu'il avait rencontré son égal !

— Alors ? demanda-t-il, attendant une réponse.

— Je réfléchis à ta proposition, dit-elle pour gagner du temps et peser soigneusement le pour et le contre.

Quelle que soit l'option qu'elle choisirait, elle allait prendre de gros risques. Mais les risques ne faisaient-ils pas partie de ses résolutions du nouvel an ?

— Pour que les termes du marché soient parfaitement clairs, reprit-il sur un ton d'homme d'affaires : si tu refuses ma proposition, j'appelle la police. Si tu racontes à qui que ce soit la raison de ta présence ici, j'appelle la police. Et s'il arrive quoi que ce soit à mon grand-père pendant que tu t'occupes de lui, j'appelle la police.

Et elle qui pensait qu'il bluffait…

— En résumé, tu me fais chanter.

— Je te fais une proposition, corrigea-t-il. A toi de voir si tu l'acceptes ou non.

5.

Michael aurait préféré ne pas se soucier autant de la réponse de la jeune femme, et il éprouva de la culpabilité face à son expression résignée.

Mais, après tout, elle s'était jetée elle-même dans la gueule du loup, et il ne pouvait l'oublier. Même quand elle le regardait avec ce regard abattu, qui lui donnait l'impression de n'être qu'une sale brute.

Il essaya de contenir la vague de remords qui grossissait en lui. De serrer les mâchoires pour ne pas prononcer les paroles qu'elle avait envie d'entendre : qu'il croyait à son histoire, qu'il oublierait l'avoir surprise la main dans son coffre-fort, et qu'il la laisserait partir.

Impossible. Pas après cette incroyable nuit qu'ils venaient de passer ensemble. Sarah Hewitt avait pénétré de son plein gré dans sa tanière, et il devait tout faire pour l'y garder le plus longtemps possible.

Pour le bien de son grand-père, se rappela-t-il.

— Tu ne me laisses pas vraiment le choix, finit-elle par répondre. J'accepte.

Enfin, il put respirer.

— Bien. Je vais demander que l'on te prépare une chambre.

Elle lui adressa un petit signe de tête.

— J'ai laissé ma voiture en bas du chemin, à environ huit cents mètres d'ici. Il faut que je rentre chez moi le temps de rassembler quelques vêtements et m'organiser. Cela devrait me prendre environ deux heures.

Il hocha négativement la tête.

— Tu as l'interdiction formelle de quitter cette maison sans mon autorisation.

— L'interdiction *formelle* ? répéta-t-elle, indignée. Mais c'est ridicule ! Et mes vêtements ? Mon travail...

Mais elle s'interrompit immédiatement, et il décela une trace d'appréhension dans son regard.

Sa curiosité piquée, il demanda :

— Quel travail ?

Elle garda le silence.

Pour sa part, Michael commençait à se lasser de leur affrontement verbal alors qu'ils avaient semblé tellement en harmonie la nuit dernière. Si parfaitement accordés, à tous les plans.

— Soit, dit-il d'un ton sec. Ne dis rien. Je peux engager un détective privé qui trouvera toutes les informations que je souhaite à ton sujet.

— Je suis employée à la Consolidated Bank, avoua-t-elle en le regardant dans les yeux.

Il hocha la tête, surpris de ne l'avoir jamais remarquée. En revanche, Sarah Hewitt l'avait de toute évidence remarqué, et décidé qu'il ferait une cible facile !

— Ne t'inquiète pas, la rassura-t-il. Je parlerai avec le président de la banque et je m'assurerai qu'ils ne te remplacent pas pendant ton absence.

Arquant un sourcil, elle demanda :

— Ça ne te dérange pas de savoir qu'une voleuse travaille dans ta banque ?

— Je croyais que tu n'étais pas une voleuse.

— Oui, mais si c'est ce que tu penses, pourquoi ne me laisses-tu pas partir ?

Il haussa les épaules.

— Je ne sais pas ce que je pense, au juste. Tu auras peut-être l'occasion de me prouver ton honnêteté au cours des prochaines semaines.

— En forçant le coffre-fort de ton grand-père pour lui voler son testament ? répliqua-t-elle sur un ton ironique.

— Entre autres choses, reconnut-il, alors que son regard glissait vers la bouche de la jeune femme.

— Et que faisons-nous pour les vêtements ? Je ne vais pas garder ce déguisement.

D'un geste de la main, il balaya ses inquiétudes.

— J'enverrai l'une de nos employées de maison chez toi. Dresse une liste de ce qu'il te faut, et elle te le rapportera.

— Donc, tu me gardes réellement prisonnière ici ?

— Tu es mon invitée, corrigea-t-il, ne voulant pas se laisser attendrir par le ton désespéré de la jeune femme.

Il était incapable d'oublier la manière dont elle s'était jouée de lui, ni avec quelle facilité il s'était laissé mener par le bout du nez.

— J'ose espérer que tu trouveras ton séjour ici plus confortable qu'à la prison du comté.

Ramassant son panier, Sarah dit alors :

— J'aimerais que tu me conduises à ma chambre, maintenant.

— Bien entendu, dit-il en tendant la main vers le téléphone. Tu dois être fatiguée, après la nuit dernière.

Il remarqua que la moindre allusion à la nuit qu'ils avaient passée ensemble la mettait mal à l'aise. Bien. Au moins, il n'était pas le seul.

Michael appela la femme de chambre, et lui demanda de préparer immédiatement la chambre de son grand-père, et une autre pour sa garde-malade.

Sarah songea que le personnel avait l'habitude d'obéir sans poser de questions, même à 6 heures du matin.

Lorsqu'il raccrocha, il constata que Chaperon Rouge était de nouveau dans son lit. Toutefois, elle ne l'attendait pas, mais elle fouillait les draps froissés, à la recherche de sa jupe et de son chemisier.

Il aimait quand elle était en colère. La colère rosissait en effet ses joues et allumait des étincelles dans son regard vert.

Ecartant un pan de tenture, Michael se pencha et demanda :

— Tu as besoin d'aide ?

La jeune femme opéra un repli stratégique à l'autre extrémité du lit, et répondit avec un regard méfiant :

— Non, j'ai trouvé ce que je cherchais.

— Ta chambre sera prête dans quelques minutes.

Sarah serra les vêtements contre elle, comme si elle avait peur qu'il ne les lui arrache.

— J'aimerais m'habiller.

— Je t'en prie.

— Seule, ajouta-t-elle.

Il était sur le point de lui rappeler qu'il l'avait déjà vue nue, mais se ravisa. Il trouvait qu'il l'avait suffisamment malmenée pour aujourd'hui, et ils avaient tous deux besoin d'un peu de solitude. Et surtout, il ne voulait pas qu'elle arrive à le haïr.

— Tu peux utiliser ma salle de bains, proposa-t-il en souriant. Mais ne traîne pas, sinon je pourrais croire que tu as essayé de t'évader par la fenêtre. Mais je ne m'y risquerais pas, à ta place, car nous sommes au deuxième étage…

Pourtant, l'expression du visage de Sarah lui disait que sauter par la fenêtre serait peut-être préférable à une autre nuit en sa compagnie.

Elle passa devant lui et se retourna avant d'entrer dans la salle de bains :

— Comment être sûre que tu vas tenir ta parole ? Qui sait si, une fois que j'aurai fait ce que tu me demandes, tu ne nous dénonceras pas, mon grand-père et moi, à la police ?

— Tu es obligée de me faire confiance.

Elle hésita, puis lui adressa un signe de tête, comprenant qu'il ne lui laissait pas le choix. Il se trouvait en position de force.

Michael regarda la jeune femme disparaître dans la salle de bains. Il s'était montré particulièrement idiot, la veille, de ne pas lui demander comment elle était entrée dans sa chambre, pourtant fermée à clé. Il devait reconnaître qu'après l'avoir découverte dans son lit, il avait cessé de réfléchir avec son cerveau…

Il n'aurait su dire quand, pour la dernière fois, une femme l'avait troublé à ce point. L'alchimie entre eux deux était indéniable, mais leur relation s'arrêterait là. Et il était sûr d'une chose : il ne laisserait plus jamais Sarah Hewitt se jouer une nouvelle fois de lui.

Sarah observa la chambre luxueuse qui serait sa prison pendant les semaines à venir. On l'appelait la Chambre Rouge, selon la gouvernante qui l'y avait conduite. La jeune femme d'origine hispanique était partie remplir la carafe d'eau, laissant Sarah seule face à son sort.

Elle se dirigea vers le lit et s'assit, caressant d'une main le couvre-lit en satin rouge. Michael avait-il essayé de lui faire passer un message, en l'installant ici ? Sous-entendant qu'elle n'était qu'une catin ?

Sarah savait qu'elle n'aurait pas dû se soucier de l'opinion de Michael, mais pourtant… La nuit dernière avait été particulière pour elle. Magique. Et même le fait que Michael l'ait surprise la main dans son coffre-fort n'y changerait rien.

Elle se leva et marcha vers la fenêtre, impressionnée par la vue magnifique sur les Montagnes Rocheuses enneigées. Combien de temps devrait-elle rester cloîtrée dans cette maison ? Une fois que Michael aurait recouvré ses esprits, il ne manquerait pas de reconsidérer son plan.

— Tu es installée, à ce que je vois.

Se retournant, la jeune femme vit que Michael se tenait dans l'encadrement de la porte. Il était vêtu d'un col roulé noir et de jeans de la même couleur. A en juger par ses cheveux mouillés et plaqués contre son front, il venait de sortir de la douche.

— Ai-je le choix ?

— Non, répondit-il en entrant dans la pièce. J'ai pensé que cette chambre te conviendrait tout à fait, ajouta-t-il en regardant autour de lui.

Elle soutint son regard pendant un moment, cherchant à comprendre pourquoi il s'acharnait à la tourmenter ainsi. Il la tenait déjà à sa merci. Mais il est vrai qu'un homme comme Michael devait aimer jouer avec son pouvoir.

Elle avait besoin d'une boîte de répulsif à loup. Format industriel. Qu'était devenu l'homme qui l'avait tenue dans ses bras la nuit dernière ? Qui lui avait fait perdre le sens des réalités avec ses baisers ? Sarah finissait par se demander si elle n'avait pas simplement rêvé.

— La chambre est très jolie, finit-elle par dire d'une voix neutre.

Il répondit par un petit signe de tête puis son regard s'attarda sur la jeune femme. Malgré sa colère, le corps de cette dernière frémit au souvenir des merveilles dont ses mains étaient capables. La manière dont ses longs doigts avaient caressé les endroits les plus sensibles de son corps, appliquant juste la bonne pression. Elle déglutit avec difficulté.

Une présence à l'entrée de la chambre détourna leur attention.

— Voilà Maria, annonça Michael.

De petite taille, la jeune femme portait ses longs cheveux noirs tirés en queue-de-cheval. Elle devait avoir une vingtaine d'années.

— Elle ira chez vous et prendra ce dont vous avez besoin.

Sarah remarqua qu'il l'avait vouvoyée, pour mettre la distance qui convenait entre un employeur et une employée. Elle devait en effet se souvenir qu'officiellement, Michael l'avait engagée pour s'occuper de son grand-père.

Elle voulut lui répondre qu'elle pouvait accompagner Maria, mais se ravisa, sachant que ce serait inutile.

— C'est très gentil à vous, Maria. Merci, se contenta-t-elle alors de dire.

— Je vous en prie, répondit Maria, qui lança un regard étonné à son patron.

Ramassant son panier, qui était par terre, Sarah dit :

— Voici la clé de chez moi. Si vous m'accordez quelques minutes, je vais vous écrire mon adresse et faire la liste des choses dont j'ai besoin.

— Bien entendu.

— Vous tomberez peut-être nez à nez avec mon grand-père..., reprit Sarah, qui s'interrompit pour chercher de quoi écrire du regard.

Michael sortit alors un bloc-notes et un crayon d'un tiroir, anticipant ses besoins. Exactement comme il l'avait fait la nuit précédente.

Se rendant compte que Maria la regardait avec insistance, elle comprit qu'elle n'avait pas terminé sa phrase.

— Votre grand-père, lui rappela Maria.

— Oui, dit Sarah, en dressant la liste de sa maigre garde-robe.

Entre les économies qu'elle faisait pour ses études et sa participation aux dépenses du foyer, cela faisait bien longtemps qu'elle n'avait pu s'acheter de nouveaux vêtements.

— Je vais l'appeler, pour le prévenir de votre visite. Et s'il vous plaît, quoi qu'il vous demande, ne mentionnez pas le nom de Wolff.

Après un regard à Michael, Maria acquiesça.

— Comme vous voudrez.

— Voilà, dit enfin Sarah, en déchirant une feuille du bloc.

Maria parcourt la liste, puis regarda Sarah :

— C'est tout ?

— Je ne vais pas rester longtemps, répondit-elle, plus à l'attention de Michael que de la femme de chambre.

— Je crois que vous surestimez la capacité de mon grand-père à se remettre, dit Michael, avant d'ajouter en baissant la voix : vous resterez ici aussi longtemps que l'on aura besoin de vous.

Aussi longtemps que j'aurai besoin de toi. Bien qu'il ne le dise pas explicitement, elle comprit très bien ce qu'il voulait.

— Attendez ! s'exclama Sarah, comme la femme de chambre s'apprêtait à quitter la pièce.

L'heure était en effet venue de montrer à Michael Wolff qu'il ne maîtrisait pas complètement le jeu.

— J'ai oublié une chose.

Maria lui tendit la liste, et Sarah griffonna rapidement une ligne supplémentaire. Ensuite, elle rendit le papier à Maria.

La jeune femme ouvrit grands ses yeux marron, mais elle se contenta de hocher la tête puis elle quitta la pièce en souriant.

— On dirait que tu t'adaptes plutôt bien à ta nouvelle situation, observa Michael.

— Je fais ce que je dois faire.

— J'ai remarqué.

Ensuite, Sarah se tourna vers la fenêtre pour qu'il ne vît pas combien ses paroles l'avaient blessée. Elle savait qu'il avait toutes les raisons de la prendre pour une manipulatrice. Lui avouer combien la nuit dernière avait compté pour elle n'améliorerait en rien la situation. Alors, elle se contenta de dire :

— La vue est magnifique.

— En effet.

Au ton de sa voix, elle devina qu'il ne parlait pas des montagnes. Tous ses sens en alerte, elle se retourna.

— Je pourrais très bien partir. Après tout, tu n'as aucune véritable preuve contre moi ni mon grand-père.

Se rapprochant, il sortit une cassette vidéo 8 mm de sa poche.

— En fait, si.

Elle jeta un regard rempli d'appréhension à la cassette.

— De quoi s'agit-il ?

— Il y a une caméra de surveillance qui filme chaque coffre-fort de la maison. Cette cassette contient les enregistrements de ce qu'il s'est passé dans le coffre-fort de ma chambre du 22 décembre à aujourd'hui.

En d'autres termes, son grand-père et elle avaient été filmés en premier plan à un moment ou à un autre — une preuve suffisante pour les envoyer tous deux en prison.

Michael inséra la cassette dans le lecteur qui se trouvait sous le poste de télévision.

— Si tu veux, nous pouvons regarder la cassette ensemble.

Sarah hocha la tête.

— Inutile. Je ne partirai pas, et je ferai ce que tu voudras.

Elle se rendit compte trop tard que ses paroles pouvaient être à double sens, mais Michael sembla ne pas y avoir prêté attention.

— Je vais à l'hôpital, dit-il après avoir récupéré la cassette. Mon grand-père arrivera en fin d'après-midi, et je te présenterai à lui et à sa femme ce soir, au moment du dîner. Merci d'être en bas à 19 heures précises.

— Je suis impatiente de faire la connaissance de ton grand-père, dit Sarah en toute sincérité.

Elle avait entendu en effet tellement d'histoires sur Seamus Wolff depuis son enfance, toutes aussi négatives les unes que les autres, qu'elle imaginait un horrible monstre. Cela lui serait sans doute salutaire de constater qu'il n'était qu'un inoffensif vieux monsieur…

Michael s'arrêta sur le seuil de la porte, et il se tourna vers Sarah.

— Au fait, nous nous habillons toujours pour dîner. Est-ce que cela te pose un problème ?

Pour un peu, elle aurait été tentée de se présenter nue à table, uniquement pour se venger.

— Je devrais trouver une tenue convenable.

— Bien. A ce soir, alors.

Il ne lui laissa pas le temps de répondre, et il referma la porte derrière lui. Elle s'attendit presque à entendre la clé tourner dans la serrure, mais seuls les pas lourds de Michael résonnèrent dans le long couloir de marbre.

Sarah se dirigea alors vers la porte et la verrouilla de l'intérieur, n'étant pas sûre que Michael respecterait son intimité. Ensuite, elle quitta sa cape et les vêtements froissés qu'elle portait en dessous, ne pensant qu'à plonger dans un bon bain bien chaud.

Mais avant, elle devait appeler son grand-père.

Elle décrocha le téléphone et composa le numéro de leur maison. A la cinquième sonnerie, le vieil homme décrocha.

— Allô ?

— Bonjour, grand-père. C'est moi.

— Bonjour, Sarah, répondit-il sur un ton soulagé. Où es-tu ? Je commençais à m'inquiéter.

— J'aurais dû t'appeler plus tôt, s'excusa-t-elle. Je voulais te dire que je serai absente pendant quelques jours. Je ne sais pas combien de temps au juste. Je pars à la montagne, avec... des amis.

Sarah détestait mentir à son grand-père, mais avait-elle le choix ? Si jamais il apprenait qu'elle était retenue contre son gré chez les Wolff... Elle ne voulait même pas penser à ce qu'il serait capable de faire, tant sa haine était forte et profonde.

— Très bien, répondit Bertram. Mais c'est une décision un peu subite, non ?

Sarah serra le combiné dans sa main.

— La spontanéité fait partie de mes résolutions pour la nouvelle année, expliqua-t-elle.

Au moins, elle ne lui mentait pas cette fois, et elle avait indéniablement mis sa résolution en pratique la nuit dernière.

— Une autre amie va nous rejoindre. Elle va passer à la maison et prendre quelques affaires pour moi. Elle s'appelle Maria.

— Je l'attendrai, promit Bertram. Amuse-toi bien, ma chérie. Et ne t'inquiète pas pour moi. Tout ira bien.

— Je le sais, répondit-elle. Si maman et papa appellent ce soir, souhaite-leur une bonne année de ma part, et dis-leur que j'ai pris quelques jours de vacances.

— Ils seront certainement très contents pour toi. Nous pensons tous que tu travailles trop.

Ses parents l'appelaient une fois par semaine, et lui envoyaient un courriel quasiment chaque jour. Elle se demanda si les prisonniers avaient le droit de communiquer par courrier électronique...

— Sarah ? demanda Bertram, après quelques instants de silence. Tu es toujours là ?

— Oui.

Sarah ne voulait pas raccrocher, ne sachant pas quand elle reverrait son grand-père. Devait-elle compter en jours, ou plutôt en semaines ? Avec cette maudite cassette, Michael avait le contrôle de sa vie.

— N'oublie pas de prendre tes comprimés pour la tension, lui rappela-t-elle.

— Tous les matins au petit déjeuner.

— Et tu as rendez-vous chez le dentiste mardi, ajouta-t-elle, en entortillant le fil du téléphone autour de ses doigts.

— C'est noté sur le calendrier de la cuisine.

— Si je ne suis pas rentrée, appelle un taxi. Tu sais ce qui s'est passé la dernière fois que tu as voulu prendre le volant.

— Ce n'était pas ma faute, répliqua Bertram. C'était à cause de l'angle mort…

Le vieil homme fulminait toujours de ne plus pouvoir conduire que dans un rayon de dix kilomètres autour de chez lui. Une règle qu'il ne respectait pas toujours…

— Je sais, mais promets-moi malgré tout que tu appelleras un taxi.

Sarah entendit marmonner, mais il finit par concéder :

— D'accord, je te le promets.

— Merci, grand-père.

— Je te le répète, ma chérie : ne t'inquiète pas pour moi, et amuse-toi bien.

La jeune femme avait la sensation que ce ne serait pas franchement le cas, mais inutile de l'alarmer.

— Pas de problème, grand-père. Je te rappelle bientôt.

— Au revoir, ma chérie.

Quand elle raccrocha le téléphone, Sarah ressentit une stupide envie d'éclater en sanglots. Comment avait-elle réussi à se fourrer dans un guêpier pareil ? Et surtout, comment allait-elle s'en sortir ?

6.

Le même soir

Michael était assis à la table d'acajou de la salle à manger, et il tapait nerveusement du pied sur le tapis persan. Il avait pourtant indiqué clairement à Sarah qu'elle devait se présenter à 19 heures, mais il était 19 h 10 et la jeune femme n'était toujours pas là.

— Où est le dîner ? marmonna Seamus. J'ai cru mourir de faim dans cette prison qu'ils appellent un hôpital.

— Nous attendons cette nouvelle fille, expliqua Béatrice, en tournant les pages d'un magazine posé devant elle. Michael lui a demandé de se joindre à nous pour le dîner.

La mine de Seamus se renfrogna un peu plus, et il se tourna vers Michael.

— Quelle nouvelle fille ? Depuis quand invites-tu tes petites amies à dîner à la maison ?

— Elle n'est pas ma petite amie, se défendit Michael, comprenant maintenant pourquoi les infirmières avaient eu l'air si soulagé de voir Seamus partir. Elle s'appelle Sarah, et elle s'occupera de toi le temps de ta convalescence.

Pour une fois, Michael se félicita que son grand-père s'adresse aux employés de maison uniquement par leurs prénoms. Jusqu'alors, il jugeait cette attitude plutôt hautaine, mais il savait que le nom de Hewitt alerterait son grand-père, même si lui n'avait pas fait immédiatement la relation.

— Eh bien, si cette Sarah n'apparaît pas dans les trente secondes, elle est renvoyée, grommela Seamus.

Comme si elle n'attendait que ce signal, Sarah pénétra à ce moment même dans la salle à manger. Elle portait une robe longue noire plutôt quelconque, mais la simplicité du vêtement conférait à la jeune femme une élégance indéniable.

Elle avait rassemblé ses cheveux auburn dans un de ces chignons compliqués auxquels Michael n'avait jamais rien compris et, contrairement à Béatrice, elle ne portait aucun bijou à l'exception de petites perles aux oreilles.

Sarah sourit à tous, sauf à lui.

— Bonsoir, dit-elle en se dirigeant vers la place vide.

Michael se leva et tira la chaise pour elle. Elle hésita, comme si elle craignait qu'il ne la retire subitement pour la faire tomber, mais elle finit par s'asseoir.

Sarah se méfiait-elle à ce point de lui ?

D'une certaine manière, cette idée le dérangeait. Pourtant, il n'aurait pas dû être surpris par l'attitude de la jeune femme, compte tenu de leur accord — ou du moins du marché qu'il lui avait imposé. Il la tenait complètement à sa merci.

Etrangement, c'était sans aucun doute lui qui en souffrait le plus.

Comme maintenant, en voyant les mèches soyeuses et bouclées caresser sa nuque. Il aurait voulu les écarter et embrasser la peau douce et veloutée qui se cachait en dessous. Respirer son parfum de vanille. Revivre le même rêve que la nuit dernière.

Mais il se contenta de regagner sa place, et dit :

— Vous êtes en retard.

— J'ai dû perdre la notion du temps, répondit Sarah en dépliant sa serviette pour la poser sur ses genoux.

Seamus émit une sorte de grognement.

— Vous devriez bien vous entendre avec ma femme.

— Pardon ? intervint Béatrice, en levant le regard de son magazine. Tu m'as parlé, Seamus ?

— Il est temps de manger, coupa-t-il, comme une employée apportait le premier plat.

Pendant plusieurs minutes, il n'y eut plus un bruit dans la salle à manger, si ce n'est celui des cuillers contre la porcelaine des assiettes à soupe. Michael n'avait pas très faim, et il préférait observer Sarah à la dérobée.

Cette dernière ne leva les yeux de son assiette qu'après avoir avalé la dernière goutte de soupe, et il comprit soudain qu'elle n'avait probablement rien mangé de la journée. Il n'avait en effet pas pensé à lui faire apporter un petit déjeuner ni un déjeuner. Etait-il devenu rancunier et sans cœur au point de faire mourir une femme de faim pour satisfaire son ego ?

Se sentant légèrement nauséeux, Michael repoussa son assiette. Il ferait peut-être mieux de la laisser partir et de tout oublier.

— Alors, fillette, dit Seamus, en se tournant vers Sarah. Quelle est votre expérience des vieux bonshommes grincheux ?

— Tu n'es pas vieux, chéri, roucoula Béatrice, en lui tapotant la main.

L'ignorant, Seamus avait le regard rivé sur Sarah.

— J'attends une réponse, fillette.

Sarah tendit alors le bras pour attraper un bout de pain, et elle rétorqua :

— Et moi, j'attends que vous m'appeliez par mon nom.

Seamus plissa les yeux.

— Je vous héberge, je vous nourris, et j'ai donc le droit de vous appeler comme il me plaira.

Michael se pencha, prêt à intervenir. Il avait beau être en colère contre la jeune femme, il ne pouvait laisser son grand-père lui parler de cette manière sans intervenir.

Néanmoins, Sarah ne lui laissa pas le temps de parler.

— Voyez-vous, Nappy, je m'occupe de mon grand-père depuis déjà plusieurs années.

Seamus n'en croyait pas ses oreilles.

— Comment m'avez-vous appelé ?

Sarah leva alors le regard vers lui, l'expression de son visage aussi innocente qu'un ange.

— Oh, je vous demande pardon ! Ça m'a échappé. Vous me rappelez tellement mon cairn terrier, Nappy. C'est un diminutif pour Napoléon. Je l'ai appelé ainsi parce qu'il semble croire qu'il dirige tout le monde.

Crispé, Michael s'attendit à ce que son grand-père explose de rage d'être comparé à un chien. Sarah cherchait-elle sciemment à se mettre le vieil homme à dos ? A se faire renvoyer avant de pouvoir remplir sa partie de l'accord ?

Seamus la regarda un instant sans rien dire, puis il éclata de rire.

— Nappy ? J'aime beaucoup. Et à mon avis, le monde tournerait nettement plus rond si je le dirigeais.

— On dirait que votre petit-fils et vous avez des points en commun, observa Sarah, avec un vague sourire.

Se tournant vers Michael, Seamus lança joyeusement :

— Un point de plus pour la petite nouvelle. On dirait bien que nous ne lui faisons pas peur, mais je parie qu'elle ne tiendra pas une semaine chez nous.

— Pari tenu, répondit Michael. Cent dollars qu'elle restera au moins deux semaines.

Il vit Sarah blêmir, et comprit qu'elle ne comptait pas rester aussi longtemps. Il fut surpris de voir que son grand-père appréciait la jeune femme, c'était un véritable miracle. Bien entendu, il ignorait qu'elle était la petite-fille de Bertram Hewitt, et Michael n'avait aucune intention de le lui révéler.

— Seulement cent ? répondit Seamus en riant. Tu n'es donc pas très sûr de toi, mon garçon ?

— Dans ce cas, disons mille dollars, proposa Michael.

— J'aime mieux ça, concéda Seamus en prenant appui contre le dossier de sa chaise alors que l'employée apportait les entrées.

— Mille dollars ? répéta Sarah, en regardant tour à tour les deux hommes. Vous êtes prêts à gaspiller autant d'argent pour un pari stupide ?

— C'est l'un des privilèges d'être honteusement riche, lui répondit Seamus. Nous pouvons faire plein de choses stupides pour dépenser notre argent ? N'est-ce pas, Beatrice ?

L'épouse de Seamus leva le regard de son assiette, ne suivant de toute évidence pas du tout la conversation.

— Oui, mon chéri.

Puis elle tendit le bras et tapota une nouvelle fois la main de son mari.

— Je suis si heureuse que tu sois de nouveau à la maison, Seamus. Nous allons prendre bien soin de toi.

Tout en déchirant un bout de pain, Seamus demanda :

— Mais si vous êtes tous aussi impatients de prendre soin de moi, pourquoi avoir engagé Sarah ?

Bonne question, à laquelle Beatrice semblait ne pas avoir de réponse.

Michael écarta la culpabilité qu'il ressentait de faire chanter Sarah. Il devait avant tout assurer la sécurité de son grand-père et, malheureusement, voler son testament semblait la seule manière de parvenir à ses fins. Il gagnerait au moins ainsi un peu de temps pour trouver la preuve que l'épouse de Seamus cherchait à devenir veuve, la preuve qui finirait de convaincre son grand-père que cette femme n'était pas animée que de bonnes intentions à son égard.

— Tu sais, je m'en chargerais si je le pouvais, répondit finalement Béatrice. Mais je n'ai jamais su m'occuper d'invalides. Par ailleurs, nous allons commencer des travaux dans l'une des pièces du grenier et je dois trier tout ce qu'il y a là-haut.

— Tu n'as qu'à tout jeter, lui dit Seamus. Inutile de garder tout ce bazar.

Beatrice lui sourit.

— Qui sait ? Rappelle-toi ce collier de diamants que tu as trouvé dans une vieille malle, en débarrassant la maison des Durham ? C'est grâce à lui que tu es devenu l'homme que tu es aujourd'hui.

Sarah lâcha sa fourchette, et l'argenterie tinta lourdement contre l'assiette en porcelaine.

— Pardonnez-moi, murmura-t-elle, en évitant de croiser le regard de Michael.

Finalement, elle n'était peut-être pas aussi à l'aise et calme qu'elle voulait bien le laisser paraître, se dit celui-ci.

— Je suis prêt à aller me coucher, annonça soudain Seamus, en reculant son fauteuil roulant de la table.

— Je vais t'aider, dit Michael.

— Non, rétorqua Seamus. Je veux que ce soit Sarah.

— Quel bonheur de se retrouver chez soi, dit Seamus, alors que Sarah poussait son fauteuil roulant dans sa chambre. Les infirmières étaient devenues plutôt désagréables vers la fin de mon séjour.

— Comme c'est étonnant, murmura Sarah entre ses dents.

Deux employés avaient porté Seamus jusqu'au deuxième étage et, après cette expérience, le vieil homme avait déclaré qu'il ne redescendrait plus tant qu'il ne serait pas en mesure de remarcher.

Il ne devrait pas trop lui en coûter, étant donné que sa chambre était à peu près aussi grande que la maison de Sarah. En réalité, il s'agissait plutôt d'une suite qu'il partageait avec sa femme, laquelle n'était pas encore montée.

Sarah s'approcha du lit médicalisé qui avait été livré l'après-midi. Un pyjama à rayures vertes parfaitement plié était posé au bout, et la femme de chambre avait aussi ouvert le lit. En fait, Maria avait passé tellement de temps à préparer la chambre de Seamus que Sarah avait dû renoncer à voler le testament avant le dîner.

Non pas que Michael lui ait fourni beaucoup d'informations. Elle ignorait en effet si le coffre-fort se trouvait dans le sol ou dans le mur, s'il était fermé avec une combinaison ou une clé, et même si Michael avait réussi à neutraliser la caméra de surveillance de cette pièce.

Malgré sa hâte de partir, elle ne voulait courir aucun risque inutile et elle devait planifier son cambriolage avec la plus grande minutie. Seamus ne lui faisait pas l'effet d'un homme capable de prendre un cambriolage à la légère, même si ledit cambriolage avait été arrangé par son propre petit-fils. Il n'avait en effet fait preuve d'aucune pitié envers son ancien meilleur ami.

— Avez-vous besoin d'aide pour vous déshabiller ? demanda Sarah, en prenant le pyjama.

— Plus depuis que j'ai deux ans, grommela Seamus, qui grimaça de douleur. Désolé de vous décevoir, Sarah, mais vous ne me verrez pas tout nu. Si j'ai besoin d'aide pour m'habiller ou me déshabiller, je ferai appel à mon petit-fils.

Reposant le pyjama sur le lit, elle dit :

— Avez-vous besoin d'autre chose ?

— Une bouteille de bourbon ?

— J'ai dans l'idée que votre médecin ne serait pas d'accord, répondit-elle en attrapant une boîte de médicaments qui se trouvait sur la table de nuit. Particulièrement avec ça.

Il balaya la remarque de Sarah d'un geste de la main.

— Je n'ai plus besoin d'en prendre. Cela m'endort. Un homme doit être constamment en alerte.

Sarah approcha alors le fauteuil roulant du lit, puis elle aida Seamus à s'asseoir sur le matelas.

— Raison de plus pour ne pas boire de bourbon.

— Vous ne valez pas mieux que les infirmières de l'hôpital, ronchonna-t-il.

Mais sa voix commença à faiblir pendant qu'il s'allongeait, et il eut soudain vraiment l'air d'un vieux monsieur de soixante-dix ans.

— Après tout, je vais peut-être prendre un de ces comprimés. Je suis si fatigué. Quelle poisse de vieillir !

Elle avait entendu les mêmes paroles dans la bouche de son grand-père.

— Vous vous sentirez mieux demain matin.

Il ricana.

— J'ai vraiment horreur d'entendre ce genre d'inepties.

Sans relever, Sarah se dirigea vers la table de nuit et remplit un verre d'eau. Ensuite, elle ouvrit la boîte de médicaments et fit tomber un comprimé rose dans sa paume.

— Voilà, dit-elle en tendant le comprimé à Seamus. Vous devriez dormir mieux avec ça.

Le vieil homme prit appui sur son coude et mit le comprimé dans sa bouche, avant de l'avaler avec une gorgée d'eau.

— Je préfère le bourbon.

— Mais c'est aussi efficace, répondit-elle en reprenant le verre.

Seamus tourna ensuite son regard vers le pyjama à rayures vertes que Sarah avait laissé au bout du lit.

— D'où vient ce pyjama ? demanda-t-il.

— Je l'ignore. Il a l'air neuf, en tout cas.

— Il est surtout très moche, dit-il en se laissant retomber contre son oreiller.

Faisant un geste en direction de la commode, il demanda :

— Sortez-moi une chemise de nuit de flanelle. Il y en a dans un des tiroirs.

Sarah trouva finalement une chemise de nuit dans le sixième tiroir, tout en bas. Quand elle la sortit, une vieille photographie en noir et blanc tomba par terre.

Une photographie de sa grand-mère !

Sarah la ramassa. Souriante, Anna Hewitt se tenait devant une pancarte sur laquelle était peint : Hewitt & Wolff, Agents immobiliers.

Sarah savait que sa grand-mère avait travaillé comme comptable pour Bertram et Seamus, à l'époque où elle s'appelait encore Anna Pratt. Mais pourquoi Seamus conservait-il une photo de sa grand-mère dans un tiroir de sa commode ? A moins que ce soit seulement un souvenir de l'affaire qu'il avait montée avec Bertram ?

Sarah se retourna pour poser la question au vieil homme. Trop tard : il dormait déjà profondément.

— Mon grand-père t'apprécie.

Sarah sursauta en entendant la voix de Michael derrière elle, dans le couloir mal éclairé.

Le cœur battant à tout rompre, elle inspira profondément avant de répondre :

— Il a une manière bien à lui de le montrer.

— Il est prudent, expliqua Michael. Il a déjà été abusé par des femmes par le passé.

— Cela s'explique peut-être par la manière dont il les traite. Tu as entendu la manière dont il s'est adressé à sa femme, pendant le dîner ?

— Disons qu'ils sont... légèrement en froid ces derniers temps, reconnut Michael. Raison de plus pour croire qu'elle essaie de se débarrasser de lui.

— As-tu toujours été aussi paranoïaque ?

S'approchant d'elle, il demanda en retour :

— As-tu toujours été aussi belle ?

La question de Michael la laissa sans voix.

Les rayons de lune pénétrant par la fenêtre du couloir projetaient des ombres sur son visage, et elle ne pouvait en déchiffrer l'expression. Néanmoins, elle pouvait voir le désir qui brûlait au fond de son regard.

Sarah le ressentait aussi, quasiment palpable entre eux, et immédiatement des souvenirs de la nuit précédente lui revinrent à la mémoire. Elle déglutit difficilement et tenta de résister à l'envie de se jeter dans ses bras.

Comment cet homme pouvait-il bouleverser à ce point ses sens ? A moins que ce ne soit la faute de la pleine lune…

Michael fit un nouveau pas vers elle.

— Il faut que je te présente des excuses, dit-il, alors que son souffle tiède caressait la joue de la jeune femme.

Surprise, elle cligna des yeux. Des excuses ? Voilà bien la dernière chose qu'elle attendait de sa part.

— J'ai oublié de demander à la cuisinière de te préparer un petit déjeuner et un déjeuner, reprit-il, avec un regard sincèrement désolé. Je n'ai jamais eu l'intention de te priver de nourriture pendant ton séjour ici. Tu es libre de descendre dans la cuisine quand tu le souhaites, et de manger ce qui te fait envie. Il en est de même pour la bibliothèque et toutes les autres pièces, tant que tu ne sors pas de la maison.

— Alors, tu envisages réellement de me garder prisonnière ici ?

Elle avait espéré un court instant que ses excuses annonçaient un revirement de situation, mais elle lui attribuait de toute évidence des qualités qu'il n'avait pas. Malgré l'attirance qu'il exerçait sur elle, elle devait reconnaître qu'il était toujours aussi borné.

— Tu me le dois, répondit-il d'une voix rauque.

Oui, mais pourquoi ? Pour avoir forcé son coffre-fort ? Pour s'être trouvée dans son lit ? Quel était le crime le plus grave, selon Michael ? Sarah n'était pas sûre de vouloir connaître la réponse…

— Je n'aime pas l'idée de mentir à ton grand-père, répondit Sarah. Ni même à sa femme.

— Pourtant, cela ne t'a posé aucun problème de te jouer de moi et de me séduire.

Hochant la tête, Sarah tenta de protester :

— Ce n'est pas ce que tu crois. Je…

Mais elle ne termina pas sa phrase. Comment lui avouer la vérité ? De toute façon, il ne la croirait jamais.

Comme elle lui tournait le dos pour regagner sa chambre, il la rattrapa par le bras.

— Tu quoi, Sarah ? Tu *voulais* que je te trouve dans mon lit ? Tu *voulais* coucher avec moi ?

Sarah garda le regard fixé sur les longs doigts qui serraient son bras, n'osant pas le regarder, de crainte qu'il ne lise la vérité dans ses yeux.

— La nuit dernière était une erreur, dit-elle avec difficulté tant elle avait du mal à respirer quand il se trouvait si près d'elle. Une énorme erreur.

— Je ne suis pas d'accord, répondit-il, en l'attirant à lui.

Ses lèvres caressèrent les cheveux de la jeune femme, envoyant de délicieux frissons dans tout son corps.

Elle ferma les yeux.

— Laisse-moi partir.

— Il y a un moyen pour me prouver que tu ne voulais pas te jouer de moi, murmura-t-il pendant que ses doigts desserraient leur étreinte pour caresser le bras de la jeune femme. Un moyen de me prouver que tu n'es pas une menteuse sans cœur.

Elle était incapable de réfléchir normalement quand il la touchait de cette manière, quand ses doigts frôlaient sensuellement sa peau.

Il passa son autre bras autour des épaules de la jeune femme, laissant sa main glisser dans le creux de ses reins.

— Un moyen très simple, ajouta-t-il.

Elle s'obligea à le regarder dans les yeux, son corps frémissant tandis que la main de Michael glissait maintenant sur la courbe de sa hanche.

— Comment ?

Il l'attira si près de lui que leurs deux bouches se touchaient presque.

— Rejoins-moi dans mon lit, cette nuit.

Sarah était tiraillée entre désir et raison pendant que les mains de Michael poursuivaient leur lente et séduisante tentative d'assaut sur son corps. Ses lèvres se posèrent sur un coin de sa bouche, puis sur l'autre, et elle laissa échapper un gémissement étouffé.

Passer la nuit avec lui. Comme la nuit dernière ?

Mais un nouveau jour viendrait ensuite, et que se passerait-il ? S'il la laissait partir, elle aurait vendu son corps en échange de sa liberté. S'il la gardait prisonnière ici, elle ne serait alors ni plus ni moins que son esclave sexuelle.

Chacune de ces possibilités lui laissait un goût amer dans la bouche, et elle se recula avant qu'il n'ait eu le temps de la convaincre par un baiser — un baiser qui, elle le savait, serait torride au point de faire fondre ses dernières réticences.

Non, il fallait que Sarah conserve le seul pouvoir qui lui restait : celui de se refuser à lui.

— Je pense que ce serait une nouvelle erreur, dit-elle en se dégageant de son étreinte.

Ensuite, elle disparut dans sa chambre et ferma la porte avant qu'il n'ait eu le temps de la convaincre du contraire.

Sarah tira le verrou derrière elle, et elle se laissa glisser jusqu'à terre, une boule au fond de la gorge.

Une partie d'elle souhaitait presque qu'il tambourine à la porte. Qu'il insiste jusqu'à ce qu'elle finisse par céder — ce qui ne devrait pas prendre trop de temps.

Mais rien. Le loup l'avait laissée s'échapper.

Pour cette fois.

7.

Michael se réveilla lentement, alors que quelque chose de tiède et humide lui léchait le cou. Il avait passé une partie de la nuit à se tourner et se retourner dans son lit, sachant que Sarah se trouvait dans la chambre voisine. Seule… et nue ? Il ne le savait pas, mais c'est ainsi qu'il aimait l'imaginer…

La chose tiède et humide donna un grand coup sur le visage de Michael, qui cette fois se réveilla complètement. Il ouvrit les yeux, et se trouva nez à nez avec un petit chien. L'animal aboya une fois, en remuant la queue, visiblement content.

— C'est quoi, ça ? s'exclama Michael, en se redressant d'un bond.

Au son de sa voix, le chien sauta de son lit et partit de la chambre en courant. Michael avait en effet laissé sa porte entrouverte, la veille, dans l'espoir que Sarah ne change d'avis et se glisse dans son lit.

Mais à la place, c'était une boule de poils à quatre pattes qui avait pénétré dans la chambre. Dans *sa* chambre !

Michael rejeta les draps et partit à sa poursuite. Voyant que le chien l'attendait juste derrière la porte de sa chambre, il tenta de l'attraper, mais ne réussit qu'à se cogner l'épaule contre le mur.

Le choc fit basculer dangereusement une colonne sur laquelle était posé un vase du XVIIe siècle. Michael tendit le bras pour rattraper le vase, puis il se tourna pour voir le chien assis au milieu du couloir, en train de l'observer.

— Viens là, sale bestiole, dit Michael en s'approchant doucement.

Mais l'animal fit demi-tour et fila vers l'autre extrémité du couloir. Michael le prit en chasse, se demandant quel employé avait pu amener son chien au travail. Qui que ce soit, il ou elle pouvait chercher du travail ailleurs.

Le chien courut autour des jambes de Michael puis repartit dans la direction opposée, semblant s'amuser beaucoup. Et quand Michael s'arrêta le temps de reprendre son souffle, le chien laissa échapper trois jappements joyeux.

C'est alors que la porte de la chambre de Sarah s'ouvrit et que la jeune femme sortit dans le couloir, vêtue d'une longue chemise de nuit de coton blanc qui descendait jusqu'à ses pieds. Une dentelle délicate soulignait les poignets et le col, qui montait haut autour de son cou.

— Nappy, gronda-t-elle. Que fais-tu là ?

— C'est ton chien ? demanda Michael, hors d'haleine, et pas uniquement à cause de sa course-poursuite avec l'animal.

Les cheveux dénoués de Sarah tombaient librement sur ses épaules, et ses joues étaient encore rosies par le sommeil.

Mais c'était surtout ce qui se cachait sous la virginale chemise de nuit qui intriguait le plus Michael. Il connaissait la forme de ses seins. La courbe de ses hanches. Sans parler de ces jambes interminables. La manière dont elles s'étaient nouées autour de lui, l'autre nuit, pour l'attirer plus près... plus profondément.

— Je te présente Napoléon, dit joyeusement la jeune femme, sortant Michael de ses rêveries.

Attrapant le chien dans ses bras, elle précisa :

— Surnommé Nappy.

Michael, qui avait repris son souffle, demanda :

— Que fait-il ici ?

— J'ai demandé à Maria de l'amener, hier, avec le reste de mes affaires. Je ne pouvais pas le laisser tout seul à la maison.

— Ton grand-père ne peut donc pas s'en occuper ?

— Il arrive à peine à s'occuper de lui-même. Et je ne veux pas que grand-père risque de tomber en allant le promener.

— Dans ce cas, mets ton chien dans un chenil, répondit Michael, qui venait de se rendre compte qu'il ne portait qu'un caleçon.

Cela expliquait-il la couleur des joues de Sarah ?

— Je paierai, crut-il bon d'ajouter.

— Hors de question, répondit-elle en le regardant dans les yeux.

Michael se rendait bien compte que le regard de la jeune femme glissait un peu plus bas — comme quasiment tout le sang de son corps… Alors, il tourna les talons et partit en direction de sa chambre avant qu'elle n'ait eu le temps de se rendre compte de son trouble, tout en en parlant par-dessus son épaule :

— Ce chien ne peut pas rester ici !

A sa plus grande surprise, Sarah le suivit dans sa chambre.

— Si Nappy part, je pars aussi, affirma-t-elle d'un ton résolu.

Michael enfila rapidement son peignoir. Inutile de discuter : il n'aimait pas les chiens, et cela depuis l'âge de neuf ans. Une époque et des souvenirs qu'il préférait oublier.

— Je ne changerai pas d'avis.

— Il n'y a pas à négocier, rétorqua-t-elle. Tu ne comprends donc pas ? Nappy fait partie de ma famille. Hors de question que je l'abandonne dans un chenil qu'il ne connaît pas ou que je le laisse se débrouiller seul.

Ses yeux verts lançaient des éclairs, et ses joues étaient maintenant rouges d'indignation. De toute évidence, elle adorait cet animal.

L'espace d'un instant, Michael se demanda ce qu'il ressentirait d'être l'objet de tant d'attention. D'avoir une femme prête à se battre pour le garder.

Sarah ne semblait pas comprendre que c'était lui qui commandait. Croisant alors ses bras sur sa poitrine, il dit :

— Le chien part.

— Alors, moi aussi.

Bon sang ! Elle osait lui tenir tête à cause d'un maudit cabot ! Mâchoires serrées, il évalua la situation. S'il se débarrassait du chien, elle partait aussi. Dans ce cas, soit il devait la dénoncer à la police soit il l'oubliait. Il eut le sentiment qu'il serait incapable de l'un comme de l'autre…

Par ailleurs, il avait besoin d'elle pour forcer le coffre-fort de son grand-père et voler le testament. La vie de Seamus en dépendait.

— S'il te plaît, Michael, implora-t-elle en posant une main sur son avant-bras.

De toute évidence, elle connaissait le pouvoir qu'elle exerçait sur lui. A moins qu'elle ne sache qu'il était incapable de lui résister quand elle le touchait de cette manière.

— Soit, concéda-t-il en ravalant sa fierté. Ton chien peut rester.

— Merci, Michael, dit-elle avec un sourire qui fit chavirer le cœur de celui-ci.

— Sous certaines conditions.

Le sourire de la jeune femme s'évanouit.

— Lesquelles ?

— Je ne veux pas le voir. Hors de question qu'il me réveille une seconde fois.

— D'accord, répondit-elle avec un regard amusé.

— Et je ne veux pas l'entendre aboyer, de jour comme de nuit.

— Il aboie seulement quand il est énervé, lui assura-t-elle. Ou alors en présence d'un étranger. Il est très protecteur.

Comme chien de garde, Nappy n'était pourtant pas très impressionnant.

— Il restera au rez-de-chaussée et pourra dormir dans la véranda. Je ne pense pas qu'il puisse y abîmer quoi que ce soit.

— C'est un cairn terrier, pas un pitbull, crut-elle bon de rappeler.

— Et si jamais il fait ses besoins à l'intérieur, reprit Michael, comme si elle n'avait rien dit, il ira dans la remise à outils du jardinier.

Voyant que Sarah s'apprêtait à protester, Michael leva la main pour la faire taire.

— La remise est chauffée en hiver, et il n'y mourra pas de froid.

— Je suis sûre qu'il sera très bien au rez-de-chaussée. Nappy est parfaitement dressé, dit-elle en embrassant le chien qu'elle tenait toujours dans ses bras. Tout se passera bien, tu verras.

Pour Michael, la présence de ce chien était déjà un problème : il avait perdu une bataille contre Sarah, et il détestait perdre. Tout comme il détestait les chiens. Toutefois, il semblait devoir tolérer celui-ci — du moins temporairement.

— Arrange-toi pour le garder hors de mon chemin, répondit Michael en soupirant.

En sortant de la chambre, Sarah assura à Michael :

— Tu ne le regretteras pas.

Mais il le regrettait déjà !

Un peu plus tard, dans l'après-midi, Sarah fut appelée dans le salon privé de Béatrice. Elle s'assit dans un fauteuil de rotin, alors que la maîtresse des lieux était nonchalamment allongée dans une chaise longue, près de la fenêtre.

— J'ai pensé qu'il était temps que nous fassions un peu mieux connaissance, commença l'épouse de Seamus. Après tout, vous vous occupez de mon mari.

Sarah poussa un discret soupir de soulagement. Elle pensait que Beatrice avait entendu parler de Nappy et qu'elle souhaitait s'en débarrasser, comme Michael.

— Que voudriez-vous savoir ?

Attrapant un verre de vin qui se trouvait sur la table, près d'elle, Beatrice dit :

— Tout.

Ce qui était impossible, sauf si Sarah révélait la véritable raison de sa présence ici. Alors, elle décida de lui raconter des généralités.

— Je suis née et j'ai grandi à Denver. Après le lycée, je suis allée à l'université à Boulder. J'ai été admise en troisième cycle, et j'essaie de gagner de l'argent pour payer la suite de mes études.

— Je suppose que vous avez d'excellentes références ?

— Vous n'aurez qu'à demander à Michael, se déroba Sarah. Il semblait tout à fait satisfait de mes qualifications.

— Ce ne sera pas nécessaire. D'autant que Seamus semble beaucoup vous apprécier. Dites-moi, Sarah, êtes-vous mariée ?

— Non.

— C'est merveilleux lorsque vous rencontrez l'homme de votre vie, dit Béatrice, songeuse. J'ai su que Seamus était l'homme de ma vie à la seconde où je l'ai vu.

Selon son petit-fils, elle était plutôt tombée amoureuse de son compte en banque… D'un autre côté, le jugement de Michael n'était pas infaillible. Ne prenait-il pas en effet Sarah pour une voleuse ?

— Comment vous êtes-vous rencontrés ? demanda Sarah, réellement intéressée.

Elle avait entendu parler de Seamus Wolff par son grand-père, mais l'amertume qu'éprouvait ce dernier avait déformé chaque récit.

Selon Bertram, son ancien associé n'était en effet qu'un requin sans cœur. Or, elle avait déjà aperçu certaines traces d'humanité sous l'aspect sévère de Seamus.

Maintenant, elle se demandait si Michael était aussi impitoyable que sa réputation le laissait penser ?

— J'étais mannequin, commença Béatrice. Seamus possède une chaîne de bijouteries et avait organisé un concours pour trouver la femme idéale qui porterait la pierre parfaite — une émeraude qu'il avait achetée en Amérique du Sud.

— Et vous avez gagné ? demanda Sarah.

— Oui, répondit Beatrice avec un soupir satisfait. J'ai gagné.

Sarah eut le sentiment que Beatrice ne parlait pas uniquement du concours.

— Vous travaillez toujours comme mannequin ?

— Bien sûr que non. Je préfère rester à la maison avec mon mari, au cas où il aurait besoin de moi.

Néanmoins, elle ne pouvait pas, ou ne voulait pas s'occuper des tâches pour lesquelles on avait engagé Sarah. Etait-ce le choix de Béatrice, ou bien Seamus dirigeait-il tout dans leur mariage ? La quête du pouvoir était-elle héréditaire chez les Wolff ?

— Au fait, comment Seamus s'est-il fracturé la hanche ? demanda Sarah, curieuse.

Michael avait en effet insinué que les circonstances de l'accident étaient suspectes, mais personne d'autre n'y avait fait allusion.

— Un accident, répondit Béatrice, en faisant tourner son alliance autour de son doigt. Il est tombé dans l'escalier, il a dû rater une marche. Il aurait pu mourir.

Tout en l'écoutant, Sarah fut parcourue d'un frisson. La voix de Beatrice ne laissait en effet percer aucune émotion. Et lorsqu'elle fit mine d'essuyer ses yeux secs, Sarah comprit pour la première fois pourquoi Michael la soupçonnait. En effet, si Beatrice était une très bonne mannequin, elle était en revanche une bien piètre comédienne.

— Le médecin a dit que c'était une chance que Seamus ne se soit pas brisé le cou, reprit Beatrice avec un reniflement peu convaincant. J'aurais pu le perdre, et je vais le surveiller de près, maintenant. De très près.

Sarah sursauta imperceptiblement au changement soudain de ton dans la voix de Béatrice. On aurait presque dit un avertissement. Beatrice la croyait-elle vraiment capable de tenter de séduire un homme marié sous le nez de son épouse ? Un homme suffisamment vieux pour être son grand-père ?

D'un autre côté, il aurait aussi pu être le grand-père de Béatrice.

— Je suis sûre que Seamus appréciera, répondit Sarah, qui savait déjà que le vieil homme détestait que l'on s'occupe trop de lui.

— Je vais passer beaucoup de temps à surveiller les travaux et à débarrasser la pièce nord du grenier…

Elle vida son verre de vin avant de fixer une nouvelle fois Sarah de son regard bleu perçant :

— Mais je viendrai voir de temps à autre comment il va.

Sarah acquiesça de la tête, se demandant si elle devait assurer à Beatrice qu'elle n'avait aucunement l'intention de lui voler son époux. Concernant le testament de celui-ci, c'était différent…

Beatrice reposa son verre sur la petite table.

— Au fait, nous attendons des invités samedi soir, pour le dîner. Nous fêterons l'anniversaire de Michael, et même Seamus descendra pour cette occasion. Ce qui signifie que vous pourrez prendre votre soirée.

Cela signifiait aussi que la chambre de Seamus serait vide, et qu'elle pourrait enfin avoir accès au coffre-fort.

— Bien.

— Parfait, dit Beatrice en souriant. Je suis ravie que nous ayons eu l'occasion de parler, Sarah. Michael fait parfois preuve d'un piètre jugement en matière de femmes, mais je trouve qu'il a fait un excellent choix, pour une fois.

Un autre trait de personnalité certainement héréditaire. De toute évidence, Beatrice ne l'aimait pas, ce qui rendait Sarah à la fois triste et suspicieuse.

— Ce sera tout ?

— Oui. Vous pouvez retourner à votre travail.

Congédiée en bonne et due forme, Sarah partit en direction de la porte. Pas étonnant que Seamus soit aussi grognon ! Comment pouvait-il en effet supporter de vivre avec cette femme, aussi jeune et belle soit-elle ?

Et pourquoi est-ce que Sarah s'en préoccupait ? Son propre grand-père serait ravi de savoir ce qu'il se passait chez les Wolff, et il dirait certainement que Seamus n'avait que ce qu'il méritait.

Pourtant, chacun méritait d'être aimé, et cette superbe maison semblait ne pas connaître l'amour — si ce n'est celui que Michael portait à son grand-père. Et même cet amour était empoisonné par les soupçons de Michael concernant la femme de Seamus. Si Seamus découvrait que son petit-fils projetait de faire voler son testament pour prouver la culpabilité de Beatrice, lui pardonnerait-il jamais ? Même si Michael avait raison ?

— Je m'en fiche, marmonna-t-elle à voix basse, alors qu'elle descendait chercher Nappy pour sa promenade. Ce jour-là, je serai déjà loin.

Michael se trouvait dans son bureau, au dernier étage de la Consolidated Bank. Il examinait le dossier de Sarah Hewitt, qu'il avait demandé au service des ressources humaines, après avoir expliqué au directeur que la jeune femme serait temporairement absente.

Nul doute que les employés de la banque spéculaient déjà sur les raisons de sa mystérieuse disparition. Peu importe. Il ne leur devait aucune explication.

Son regard se porta sur les informations personnelles consignées pour chaque employé. Age : 26 ans. Situation de famille : célibataire. Ce qui ne le surprit pas, car Sarah ne lui faisait pas l'effet d'être une menteuse. Un comble, pour quelqu'un qui s'apprêtait à devenir une voleuse !

Pourtant, dans son cœur, il avait envie de croire à son histoire. A tel point qu'il n'avait même pas osé visionner la cassette de la caméra de surveillance, de peur d'y voir qu'il avait tort.

On frappa à la porte, et il referma le dossier :

— Entrez.

Cole Rafferty pénétra dans le bureau. Cole appartenait à la même fraternité universitaire que Michael, et il dirigeait aujourd'hui l'une des meilleures entreprises de sécurité de Denver. Bien qu'il ne fasse pas beaucoup de travail de terrain, Michael voulait le meilleur pour la mission qu'il avait à lui confier.

— Merci d'être venu aussi rapidement, dit Michael en se levant pour serrer la main de son ami.

— Quand le grand et puissant Michael Wolff m'appelle, j'accours, répondit Cole en souriant. Sauf, bien entendu, s'il m'appelle de la Chapelle de l'amour à Las Vegas, et qu'il a besoin de toute urgence d'un témoin pour épouser une danseuse de revue prénommée Kiki.

Michael grimaça.

— Tu ne me laisseras jamais en paix avec cette histoire, n'est-ce pas ?

— Je parie que Kiki ne m'a toujours pas pardonné de t'avoir fait changer d'avis…

— J'étais jeune et stupide.

— Et soûl.

— Aussi, reconnut Michael en éclatant de rire.

— Alors, que puis-je pour toi ? demanda Cole.

— J'ai besoin que tu me débarrasses d'une autre aventurière.

Cole arqua un sourcil.

— Tu as demandé une nouvelle Kiki en mariage ?

— Il ne s'agit pas de moi mais de mon grand-père. Je soupçonne sa femme de vouloir le tuer.

Après quelques secondes de silence, Cole finit par dire :

— C'est une accusation grave, Michael. Tu as des preuves ?

— Pas encore, et c'est pour cette raison que je t'ai appelé. Il me faut des preuves indiscutables pour convaincre mon grand-père que ce mariage constitue un danger pour sa vie.

Avec un hochement de tête, Cole demanda :

— Par où dois-je commencer ?

— Fouille le passé de Beatrice. Son nom de jeune fille est Ballingham. Cherche si elle a déjà été mariée, si elle a un casier judiciaire.

— Ton grand-père n'a pas déjà procédé à ces vérifications ? Je croyais qu'il le faisait systématiquement pour chacune de ses épouses.

— Pas pour Beatrice, répondit Michael en ricanant. Il est tombé amoureux au premier regard.

— Et je te sens dubitatif.

Michael confirma d'un signe de tête, alors qu'une image de Sarah dans sa chemise de nuit de flanelle blanche lui revenait à l'esprit.

— Je ne peux pas me le permettre, dans tous les sens du terme.

— Finalement, je me félicite de ne pas être aussi riche que toi, répondit Cole. La vie n'a pas l'air si drôle que ça.

— Si tu trouves des preuves contre Beatrice, je te paierai suffisamment pour que tu t'amuses autant que tu le voudras jusqu'à la fin de ta vie.

— Compte sur moi, promit Cole. Je peux faire autre chose pour toi ?

— Nous donnons un dîner samedi soir, avec quelques amis et des associés. Annie et toi êtes invités.

Cole sourit.

— J'espère sincèrement que nous ne pourrons pas venir. Elle a déjà dépassé le terme de sa grossesse d'une semaine.

Michael put voir la fierté du futur père dans les yeux de Cole, et il ressentit une légère jalousie, lui qui avait renoncé à fonder une famille depuis longtemps.

— Dans ce cas, vous feriez peut-être mieux d'éviter d'emprunter les petites routes de montagne, suggéra Michael.

— Oui, tu as raison, répondit Cole en se levant. Mais pour me faire pardonner, il faut que je te trouve un cadeau d'anniversaire parfait. Tu préfères une blonde ou une rousse, cette année ?

— Je te remercie, mais j'ai déjà une cavalière. C'est une brune, que j'ai rencontrée à la soirée du nouvel an, et…

Michael fut interrompu par la sonnerie du téléphone portable de Cole.

— Deux minutes, demanda ce dernier en sortant le téléphone de sa poche.

Il ouvrit grands ses yeux, puis raccrocha.

— Ça y est.

— Annie ?

— Je dois la retrouver à l'hôpital, expliqua Cole, qui se prit les pieds dans le tapis et manqua trébucher.

Sortant ses clés de voiture de sa poche, Michael proposa :

— Je t'accompagne.

— Mais je peux conduire.

— Tu peux à peine marcher !

— Je suis sur le point de devenir père, dit Cole avec un sourire béat, en donnant une bourrade amicale dans le dos de son ami. Merci, Wolff. A charge de revanche.

Michael en doutait sérieusement…

8.

Sarah se tenait dans la galerie de portraits de la résidence des Wolff, le regard plongé dans des yeux gris malicieux qui lui rappelaient ceux de Michael. La plaque de cuivre indiquait qu'il s'agissait de Colin David Wolff.

Le père de Michael.

Il était visiblement plus jeune que Michael aujourd'hui. Ses cheveux noirs ondulés tombaient presque jusqu'à ses épaules, et ses lèvres s'incurvaient dans un sourire railleur, comme s'il considérait que poser pour un portrait était idiot, mais nécessaire.

L'arc de ses sourcils trahissait une certaine arrogance, et sa large carrure une indéniable confiance en soi. Une attitude hautaine que seuls pouvaient se permettre les très audacieux et les très riches.

Pendant le peu de temps qu'elle avait passé avec Seamus Wolff, elle avait cru comprendre que son fils Colin avait été les deux. Elle savait déjà que Colin avait obtenu sa licence de pilote privé à l'âge de seize ans, qu'il avait fait le tour en avion… jusqu'à ce jour fatal, dix-sept ans plus tôt, où son Cessna bimoteur s'était écrasé près de Vail.

Comme Sarah observait le visage juvénile de Colin Wolff, elle se demanda si ses dernières pensées avaient été pour le fils de treize ans qu'il laissait derrière lui. Et combien cet accident avait participé à faire de Michael l'homme qu'il était aujourd'hui.

— Te voilà.

Sarah se retourna et vit Michael s'avancer vers elle, et elle sentit son cœur se serrer en pensant au petit garçon d'alors.

— Tu me cherchais ?

— Partout, répondit-il sur un ton mêlant exaspération et soulagement. Je croyais te trouver dans la chambre de mon grand-père.

— Il m'a jetée dehors, expliqua-t-elle. Il m'a dit qu'il souhaitait faire la sieste, et qu'il n'avait pas besoin d'une baby-sitter surpayée pour le surveiller dans son sommeil.

Comme le regard de Michael se dirigeait vers le portrait de son père, il dit :

— Je vois que tu fais connaissance avec le reste de la famille.

— J'adore les portraits de famille.

— Seamus a fait peindre les portraits de presque toute la famille à partir de vieilles photographies. Sauf celui de mon arrière-arrière-grand-père Jonah Wolff, expliqua Michael, en indiquant un portrait accroché un peu plus loin. Il est venu au Colorado au moment de la ruée vers l'or, et il a terminé comme patron d'une maison de passe, où travaillaient les plus jolies filles du territoire.

— Et qu'en a pensé Mme Jonah Wolff ?

Michael sourit.

— C'était l'une des filles. Mais elle a pris sa retraite après son mariage.

— Où est son portrait ?

Michael l'accompagna devant Bridget O'Feeny Wolff.

Sarah observa le portrait d'une jeune femme aux longs cheveux bruns, avec des yeux gris familiers, et un large sourire.

— Elle est très belle.

— Et intelligente, ajouta Michael. Elle a transformé la maison de passe en club privé, et demandait des droits d'inscription honteusement élevés — ce qui ne rendait les gens que plus désireux de devenir membres.

— Je ne vois pas de portrait de ta mère, fit remarquer Sarah.

— C'est parce qu'il n'y en a pas, répondit sèchement Michael avant de tourner les talons et de partir dans la direction opposée.

Sarah le suivit, comprenant qu'elle venait d'aborder un sujet délicat. Mais l'attitude de Michael ne faisait que piquer sa curiosité. Maintenant qu'elle y pensait, elle se rendait compte que Seamus ne mentionnait que très rarement l'épouse de Colin quand il parlait de son fils. Etait-elle morte dans l'accident d'avion avec lui ?

— Je veux te montrer la nouvelle collection d'objets égyptiens que Beatrice vient d'acquérir, dit Michael en franchissant une nouvelle porte. Il faut tout de même reconnaître que cette femme a bon goût.

Sarah le suivit dans une autre galerie, plus petite, dans laquelle les œuvres d'art étaient exposées sur des socles de marbre ou dans des vitrines.

— Alors, comment trouves-tu ? demanda-t-il après qu'elle eut fait le tour de la pièce.

— Très joli, répondit-elle. Mais je suis loin d'être une experte en antiquités égyptiennes.

— Comme moi, dit-il en se rapprochant. Toutefois, je sais ce que j'aime… et je sais ce que je veux.

Elle savait bien qu'il ne parlait plus d'art. Il la voulait, *elle*. Elle le lisait dans l'ardeur de ses yeux gris quand il la regardait. Dans la manière dont ses yeux glissaient vers sa bouche.

Avant qu'elle n'ait eu le temps de réagir, il l'attira dans ses bras et l'embrassa. Quand sa bouche se posa sur celle de la jeune femme, il émit une plainte rauque. Sarah s'entendit gémir en réponse, et elle se laissa aller contre son corps dur et viril. La langue de Michael taquina ses lèvres jusqu'à ce qu'elles s'entrouvrent, tandis que les pensés se bousculaient dans l'esprit de la jeune femme à la vitesse des battements précipités de son cœur.

Mais il s'arrêta et, la tenant à bout de bras, ses yeux dévorés par la fièvre de la passion, il dit :

— Reconnais-le, Sarah. Tu me désires. Autant que je te désire.

Et il avait entièrement raison. Le corps de Sarah réclamait ses caresses. Le contact tendre et expérimenté de ses mains, qui savaient comment lui arracher soupirs et gémissements. Tout en la tenant enlacée en toute sécurité dans ses bras.

Toutefois, ce sentiment de sécurité n'était qu'illusion. Michael Wolff était en effet plus dangereux pour son cœur et son âme qu'aucun autre homme.

Le désir qu'il éprouvait pour elle était palpable, mais il ne cherchait pas pour autant à la brusquer. Il se contentait d'attendre, comme un loup guettant sa proie — ce qui ne le rendait que plus dangereux aux yeux de la jeune femme.

— Pourquoi me cherchais-tu ? demanda-t-elle d'une voix légèrement haletante, cherchant à dissiper l'électricité qui crépitait entre eux.

Il ne sembla pas troublé par le brusque changement de sujet.

— Je souhaite t'inviter à mon dîner d'anniversaire. Comme ma cavalière.

— Je ne pense pas que ce soit une bonne idée.

Compte tenu de ce qu'il venait de se passer entre eux, elle en avait même la certitude.

— Et moi je pense que c'est une excellente idée, corrigea-t-il. Tu auras ainsi le meilleur des alibis pour voler le testament de mon grand-père.

Le testament. Elle avait presque oublié son existence. Quelle grossière erreur de sa part ! Elle aurait pourtant dû se rappeler que Michael lui portait un intérêt purement égoïste. Il la voulait, il voulait le testament, et il prendrait les deux s'il en avait l'occasion.

— Le dîner a lieu samedi soir, continua-t-il. Il y aura une dizaine d'invités, et mon grand-père a déjà annoncé qu'il descendrait pour l'occasion. Ce qui signifie que sa chambre sera vide.

Elle hocha la tête, tandis que mille pensées se bousculaient dans sa tête. Une fois qu'elle aurait volé le testament pour lui, elle pourrait quitter cette maison. Se libérer de l'emprise qu'il exerçait sur elle, tant physique qu'affective.

— Mais si je suis ta cavalière, comment trouverai-je le temps de voler le testament ?

— Après le dîner, expliqua-t-il, je proposerai aux invités de visiter la galerie. J'ai fait quelques nouvelles acquisitions, et il y a aussi la collection égyptienne. Comme il y a plusieurs salles à visiter, nous pourrons très bien être séparés.

— Et j'en profiterai pour m'éclipser ?

— Moi aussi, acquiesça-t-il. Si jamais quelqu'un remarque ton absence, ils croiront que j'ai voulu passer un peu de temps en tête à tête avec ma cavalière, comme cela m'est arrivé déjà auparavant.

Hors de question qu'elle oublie la grande expérience de Michael en matière de femmes ! L'empressement dont il faisait preuve envers elle n'était qu'un jeu, rien de plus. Un jeu auquel il avait déjà joué à de multiples reprises.

En d'autres termes, elle devait faire taire tous les sentiments qu'il éveillait en elle. Ignorer le désir qu'elle éprouvait pour lui et qui menaçait de se manifester quand elle s'y attendait le moins.

A croire qu'elle souffrait d'une variante du syndrome de Stockholm, qui se manifeste par la sympathie des otages pour leurs ravisseurs.

Si ce n'est que Michael ne la retenait pas en otage — du moins pas au sens légal du terme. Et elle n'était pas complètement étrangère à sa situation du moment… En effet, elle avait choisi de son plein gré de s'inviter à la soirée du nouvel an et de forcer son coffre-fort. Et elle avait passé la nuit avec lui de son plein gré.

Elle avait choisi de rejoindre le loup dans sa tanière.

Maintenant, si elle voulait en ressortir sans y laisser son cœur, il fallait qu'elle résiste à la tentation qui se présentait à elle. Qu'elle résiste à ses caresses, à ses baisers, et tous ces fantasmes qui la gardaient éveillée la nuit.

Donc, être sa cavalière, même si ce n'était qu'une mise en scène, ne lui semblait pas une bonne idée, et il lui fallait un peu de temps pour imaginer une alternative. Si elle trouvait un prétexte pour s'échapper de la maison, même pour un court laps de temps, elle y verrait peut-être plus clair.

— Je n'ai pas de tenue convenable pour…

— Je me charge de tout, lui assura-t-il, réduisant à néant tout espoir de sortir. Occupe-toi seulement d'être en bas à 19 heures, samedi soir.

Elle acquiesça d'un signe de tête, se disant que ce serait une excellente occasion — et peut-être même la seule — d'accéder au coffre-fort de Seamus. Et une fois le testament dérobé, Michael serait obligé de la laisser partir.

— Que penses-tu de Beatrice ? demanda-t-il, alors qu'ils repartaient vers la galerie principale.

— Au début, je ne l'aimais pas. Mais maintenant, je la plains.

Michael manqua trébucher.

— Je te demande pardon ?

— Je pense qu'elle est l'une des femmes les moins sûres d'elle que je connaisse.

— Dans ce cas, tu la connais mal.

— J'ai discuté un moment avec elle cet après-midi, expliqua Sarah. Elle m'a paru très… seule. J'imagine qu'il doit être facile de se sentir perdue dans une aussi grande maison, entre deux hommes aussi riches et puissants.

— Parce que toi, tu te sens seule ? demanda-t-il doucement.

Sarah plongea son regard dans celui de Michael, se demandant comment il réagirait si elle lui avouait la vérité : qu'elle avait trouvé le centre de sa vie et de sa passion pendant la nuit qu'ils avaient passée ensemble. Qu'il avait rempli un vide dans sa vie dont elle ignorait l'existence jusqu'alors, un vide qu'elle ne pourrait plus jamais ignorer.

— Non, finit-elle par répondre. Et toi ?

Il la fixa longuement, puis détourna le regard et marcha en direction de la porte.

— La sieste de mon grand-père doit être terminée, maintenant.

Sarah le suivit, se demandant s'il faisait toujours mine d'ignorer les questions qui le dérangeaient. Et quand ils passèrent devant le portrait de son père, une autre question lui vint à l'esprit.

— Comment ta mère est-elle décédée ?

— Qu'est-ce qui te fait croire qu'elle est morte ? demanda en retour Michael.

Sarah le dévisagea, se souvenant que Seamus avait parlé d'elle au passé.

— Elle est vivante ?

Un muscle se crispa dans la mâchoire de Michael.

— Franchement, je n'en ai aucune idée. Elle est partie quand j'avais neuf ans.

Puis il lui tourna les talons et partit.

Sarah resta seule dans l'immense galerie, pensant à sa propre famille. Ses parents et ses grands-parents. Ils avaient vécu tous ensemble dans la même petite maison, la plupart du temps heureux et guidés par l'amour qu'ils se portaient. Même si parfois l'amour les entraînait un peu trop loin — comme dans le cas de son grand-père. Malgré tout, elle ne changerait de famille pour rien au monde.

Elle se souvenait des obsèques de sa grand-mère. Son grand-père qui s'était effondré en larmes. Combien la maison avait paru vide et silencieuse pendant des mois. Sa grand-mère lui manquait encore beaucoup, même après toutes ces années.

De son côté, Michael, l'homme qui semblait tout avoir, avait perdu son père et sa mère. Son besoin de tout contrôler n'était pas si étonnant, sachant qu'il avait si peu contrôlé sa vie pendant son enfance. Aujourd'hui, il se rattrapait.

C'est pour cela qu'il essayait de prouver que Beatrice complotait pour tuer son grand-père, et qu'il lui avait demandé de cambrioler le vieil homme.

Elle espéra qu'il ne finirait pas par perdre le peu de famille qu'il lui restait…

Le samedi soir, Sarah pénétra dans sa chambre et trouva une robe de soirée posée sur son lit, ainsi que des sous-vêtements de soie arachnéens et une paire d'escarpins.

La robe était magnifique, coupée dans une mousseline blanche qui épousait si parfaitement ses formes qu'on l'aurait crue faite sur mesure pour elle. Comme si Michael se souvenait de son corps dans ses moindres détails.

Comme elle se souvenait du sien.

Après avoir enfilé la robe, Sarah se regarda dans la psyché de la chambre, essayant de se convaincre qu'elle était bien la femme du reflet.

Elle avait rassemblé ses cheveux dans un chignon, et quelques mèches rebelles s'échappaient de la coiffure et dansaient autour de son visage et dans sa nuque.

Dans le dos, le décolleté de la robe plongeait presque jusqu'à sa taille, et des minuscules perles de verre cousues à la main faisaient scintiller le vêtement à la lumière.

En vingt-six ans, elle n'avait jamais porté une tenue aussi parfaite ni aussi chère, et elle se rendit compte à quel point l'argent pouvait être grisant. Tout en enfilant ses chaussures, qui elles aussi lui allaient parfaitement, Sarah pensa à un autre conte de fées. Cette fois, elle n'était plus le Petit Chaperon Rouge, mais Cendrillon.

Un conte de fées qui pourrait mal se terminer une fois qu'elle aurait forcé le coffre-fort de Seamus Wolff, pour lui dérober son testament...

Un coup frappé à la porte la tira de ses réflexions.

— Entrez.

Michael, vêtu d'un smoking noir, apparut sur le seuil de la porte. Il était si séduisant qu'elle manqua en oublier de respirer. Finalement, c'était une bonne chose qu'elle parte après ce soir. Oui, une très bonne chose.

— Tu es..., commença-t-il, pendant que son regard glissait sur le corps de sirène de la jeune femme.

— Toi aussi, répondit-elle en souriant.

— Il manque seulement un détail, dit-il en se rapprochant.

Elle vit alors qu'il sortait de sa poche un écrin de velours bleu qu'elle ne connaissait que trop bien. Il l'ouvrit, et le collier de diamants scintilla à l'intérieur.

Presque effrayée de le toucher, Sarah secoua lentement la tête. Ce collier l'avait amenée ici. Dans cette maison. Dans le lit de cet homme. Elle craignait de perdre le peu de raison qui lui restait si elle le portait.

— S'il te plaît, demanda Michael, en voyant qu'elle hésitait. Pour mon anniversaire.

Elle était prête à refuser, mais quand elle l'entendit prononcer ces dernières paroles, elle pensa au petit garçon qui avait passé tellement d'anniversaires sans ses parents. Lui demandait-il vraiment trop ?

Alors, sans un mot, elle se retourna de manière à ce qu'il passe le collier autour de son cou et, d'une main hésitante, elle effleura les pierres parfaites.

Michael se tenait juste derrière elle, son souffle tiède caressant la nuque de la jeune femme, et Sarah fut parcourue de frissons.

Quand il se pencha vers elle, elle ferma les yeux, inspirant son parfum épicé et viril. Enfin, elle entendit le cliquetis du fermoir, mais Michael ne se recula pas pour autant.

Doucement, il écarta les mèches de cheveux qui étaient prises sous le collier. Ensuite, il laissa ses mains glisser sur les épaules nues de la jeune femme, et il la fit se retourner vers lui.

Partagée entre le désir qui palpitait au creux de son corps et sa raison, elle dit :

— Nous devrions descendre.

— En effet, admit-il sans pour autant bouger. Tu es si belle, murmura-t-il, en caressant la joue de la jeune femme du bout du doigt. Tu devrais porter des diamants tous les jours.

— Je ne pense pas en avoir les moyens.

Il lui adressa un léger signe de tête, puis sembla retrouver ses esprits et il lui tendit son bras.

— Tu es prête ?

Question piège : prête pour quoi ? Rencontrer ses invités ? Ou bien prête à voler le testament ? Ou encore à tomber dans ses bras ? La réponse était oui, dans tous les cas. Mais au lieu de lui répondre, elle se contenta de prendre son bras et de le suivre.

Encore une nuit dans la tanière du loup, et elle serait libre.

9.

Michael observait Sarah depuis l'autre bout de la pièce, se demandant comment les hommes présents ce soir pouvaient ne pas faire de même. Pourtant, ils étaient tous occupés à fumer des cigares après le dîner et à féliciter Michael pour ses derniers succès.

Seamus était assis dans son fauteuil roulant, réchauffant dans sa main un verre de cognac, et il ne semblait pas plus intéressé par les conversations que Michael.

Ce dernier suivit le regard de son grand-père, et il tomba sur Beatrice en grande conversation avec un homme qui devait avoir la moitié de l'âge de son grand-père. Il ne l'avait jamais vue parler avec autant d'animation.

Pour Michael, elle ne semblait ni manquer de confiance en elle ni se languir de solitude, comme le supposait Sarah.

Il avala une longue gorgée de cognac. Plus tôt il mettrait les plans de Beatrice à jour, et plus tôt il pourrait de nouveau se consacrer à sa vie personnelle. Depuis quelque temps, il se sentait insatisfait. Agité. Les rachats d'entreprises et la gestion de l'entreprise familiale ne lui procuraient plus les mêmes frissons qu'auparavant.

Michael jeta son cigare à moitié fumé dans un cendrier, et tourna une nouvelle fois son regard vers Sarah. Elle s'était montrée discrète, même timide, pendant le dîner, bien qu'il ait tout fait pour la mettre à l'aise.

Elle était si belle.

Il aurait aimé pouvoir fêter son anniversaire en sa seule compagnie, au cours d'un dîner en tête à tête. Une danse. Un seul sourire de sa part aurait constitué le plus merveilleux des cadeaux.

Mais elle ne souriait pas. Elle avait au contraire l'air tendue, nerveuse. Elle devait sans nul doute penser au crime qu'elle était sur le point de commettre — un crime qu'il l'obligeait à commettre.

— Michael !

Surpris, il sursauta légèrement, et il se retourna pour voir son grand-père qui le regardait avec une mine renfrognée.

— Tu m'as parlé ?

— Mon garçon, à tente ans, tu es encore trop jeune pour devenir sourd.

Les autres invités rirent poliment à la plaisanterie de Seamus. Michael rejoignit le petit groupe, décidant d'ignorer les pensées qui agitaient son cerveau. La vie de son grand-père était en jeu, et il ferait tout ce qui serait en son pouvoir pour le protéger.

— J'ai besoin d'un autre cognac, annonça Seamus en lui tendant son verre vide.

— Désolé, répondit Michael, mais tu prends actuellement des médicaments et le médecin ne t'autorise qu'un seul verre d'alcool par jour.

— On croirait entendre ma garde-malade, marmonna Seamus en regardant en direction de Sarah.

Les autres invités firent de même, et l'un siffla doucement.

— Nom d'un chien, Michael ! Je sens que j'ai besoin d'une garde-malade moi aussi. Où l'as-tu trouvée ?

Dans son lit. Dans son cœur. Mais il ne pouvait pas donner ce genre de réponse, et il se contenta de dire :

— Messieurs, vous savez très bien que je ne révèle jamais mes sources.

Seamus leva le regard vers lui.

— Et il n'a même pas dit à son grand-père qu'il sortait avec elle.

— Tu sais bien que je ne raconte jamais les secrets de ma vie privée, répondit-il en souriant.

Tout le monde éclata de rire, et il vit Sarah se tourner vers lui. Les diamants scintillaient de tous leurs feux autour de son cou gracieux, lui rappelant pour quelle raison elle était avant tout présente ce soir.

Après l'avoir observée, Seamus fit remarquer :

— Le collier qu'elle porte me dit quelque chose !

— J'ai pensé qu'il serait parfait avec sa robe, expliqua Michael sur un ton qui se voulait dégagé.

Mais lui et son grand-père savaient très bien qu'il n'avait encore jamais prêté un bijou de famille à l'une de ses petites amies.

— C'est elle qui est parfaite, murmura un autre des invités.

Après avoir vidé son verre de cognac, Michael se leva.

— Et si nous allions visiter la galerie ? proposa-t-il.

L'heure était venue de passer à l'action.

Sarah s'efforça de converser avec la femme qui montait l'escalier à côté d'elle. Toutefois, son esprit était occupé par la mission qui l'attendait.

Une fois arrivée dans la galerie, il faudrait qu'elle quitte le groupe, force un coffre-fort, et revienne ensuite parmi les invités avant que l'on ne remarque son absence.

A en croire Michael, tout se passerait sans problème, mais elle n'avait pas autant confiance que lui en ses capacités de monte-en-l'air. Non, elle ne pouvait douter avant d'avoir commencé. Chaque chose en son temps.

— Il est vraiment à mourir, non ? demanda une voix féminine dans son dos.

Sarah se retourna et reconnut une certaine Maureen. L'une des nombreuses épouses blondes qui étaient présentes ce soir. Sarah avait été étonnée par la grande différence d'âge dans les couples. Elle avait déjà entendu parler de ces épouses potiches que les hommes exhibent comme signe extérieur de réussite, mais elle n'en avait jamais vu autant réunies dans la même pièce.

— Qui ? demanda-t-elle.

— Michael, bien entendu, répondit Maureen, qui se pencha par-dessus la rampe d'escalier.

A l'étage inférieur, Michael poussait Seamus en direction de l'escalier de service, où une rampe avait été installée afin de faciliter ses allées et venues entre les étages de la maison.

— Je ne suis pas sûre de comprendre, dit Sarah.

Maureen, qui n'avait cessé de boire cocktail sur cocktail depuis le début de la soirée, émit une sorte de petit grognement absolument pas féminin.

— Je veux dire que Michael Wolff est non seulement riche et puissant, mais il est aussi très, très sexy.

Après un coup d'œil las à son mari, un petit homme trapu d'une cinquantaine d'années, elle ajouta :

— Une combinaison vraiment rare.

— La galerie se trouve par là, lui indiqua Sarah, comme elles arrivaient en haut de l'escalier.

Maureen la suivit, les talons de leurs chaussures claquant sur les dalles de marbre.

— C'est pourquoi les femmes ne peuvent pas résister à Michael, même s'il se montre aussi froid qu'un iceberg.

« Elle se trompe », pensa en elle-même Sarah, que la compagnie de Maureen agaçait de plus en plus. Michael dégageait au contraire tellement de chaleur…

Les convives pénétrèrent dans la galerie. Quelques instants plus tard, Sarah vit que Michael confiait Seamus à Beatrice. Ensuite, il se dirigea vers elle.

— Un amant extraordinaire, reprit Maureen qui ne s'était pas rendu compte que Michael approchait. Et riche à ne pas savoir quoi faire de tout son argent. Quelle femme pourrait résister ?

— Moi, répondit doucement Sarah, sachant que Michael avait tout entendu.

Entendant quelqu'un arriver derrière elle, Maureen se retourna et eut la délicatesse de rougir.

— Joyeux anniversaire, Michael !

— Merci, Maureen. Je crois que Dick te cherche.

— Le devoir m'appelle, répondit Maureen avec une grimace.

Sarah la regarda s'éloigner. Pas étonnant que Michael soit toujours célibataire, si c'était là le genre de femmes qu'il avait l'habitude de fréquenter.

— La collection égyptienne a l'air de remporter un franc succès, observa-t-il, comme la plupart des invités commençaient à passer dans la pièce voisine.

— Il faudrait en faire don à un musée, un jour, pour que tout le monde puisse en profiter, commenta Sarah.

Seamus s'approcha d'eux.

— Ne lui donnez pas de mauvaises idées. Il envisage déjà de dilapider tout l'argent qu'il possède.

— Je ne considère pas que léguer mes biens à une œuvre caritative revienne à dilapider mon argent, répliqua Michael.

— Quelle œuvre ? demanda Sarah, surprise.

Il haussa les épaules.

— Je me renseigne sur plusieurs associations. Après tout, je n'ai que trente ans et encore du temps devant moi.

— Eh bien moi, je laisse ma fortune à Béatrice, marmonna Seamus en s'éloignant. Au moins, je suis sûr qu'elle dépensera tout.

Quand ils se retrouvèrent enfin seuls, Michael demanda :

— Tu es prête ?

— Si tu veux toujours que je le fasse, répondit-elle en le regardant dans les yeux.

Suivant son grand-père du regard, Michael hésita mais finit par répondre :

— Je crois que je n'ai pas le choix.

Elle savait qu'il était sincère. Une raison de plus pour laquelle sa relation avec Michael Wolff était vouée à l'échec. Elle ne voulait pas terminer comme Beatrice — l'objet de son mépris et des soupçons — ou pire, être finalement remplacée par une femme comme Maureen.

— Allons-y, dit-elle, résolue.

Michael l'entraîna vers une alcôve. Quelques invités les regardèrent partir avec un sourire discret, mais la plupart ne remarquèrent pas qu'ils s'esquivaient.

Bientôt, ils furent hors de vue.

— Passe cette porte, et tu trouveras l'escalier de service, dit Michael en consultant sa montre. Si tu n'es pas de retour dans quinze minutes, je viendrai te rejoindre.

Elle savait qu'il cherchait à la rassurer, mais fixer ainsi un délai ne fit qu'ajouter à la nervosité de la jeune femme. Quinze minutes pour forcer un coffre ! Compte tenu de la tournure qu'avait prise sa dernière tentative, Sarah savait qu'elle n'avait pas une seconde à perdre.

Avant qu'elle ne parte, Michael lui glissa à l'oreille :

— S'il y avait une autre solution…

Elle perçut une pointe de regret, et aussi de culpabilité dans sa voix. Qui sait ? Il n'était peut-être pas aussi impitoyable que cela. Elle ferma les yeux, regrettant qu'ils ne se soient pas rencontrés dans d'autres circonstances.

Mais les regrets ne servaient à rien.

— Un quart d'heure, murmura-t-elle, avant de se dégager.

Il lui fallut trois minutes pour grimper l'escalier jusqu'au deuxième étage puis forcer la serrure de la chambre de Seamus. Une fois à l'intérieur, elle referma et verrouilla la porte derrière elle. Ensuite, elle alluma la lumière. Elle n'avait en effet tout simplement pas le temps de tâtonner dans le noir, même si elle connaissait bien la pièce.

Michael lui avait indiqué l'emplacement du coffre-fort et elle se dirigea directement vers lui, écartant le faux rideau qui le dissimulait.

Elle se pencha alors aussi près que possible du coffre-fort, sachant qu'elle pouvait sentir les vibrations de la serrure avec son corps comme avec ses mains.

Cinq autres minutes s'écoulèrent le temps qu'elle fasse lentement tourner le cadran. Quand elle trouva le premier chiffre, des perles de sueur recouvraient son front.

15.

Trois minutes plus tard, elle sentit un autre déclic à peine perceptible.

2.

Plus qu'un chiffre…

La moindre ombre, le moindre craquement de la maison la faisaient sursauter. A un moment, Sarah crut même avoir entendu des pas dans le couloir, mais elle conclut que ce devait être son imagination.

Alors qu'il ne lui restait plus que quelques minutes, elle trouva enfin le dernier chiffre.

22.

Le coffre-fort s'ouvrit, et elle en fouilla rapidement le contenu, jusqu'à trouver une enveloppe épaisse portant la mention : « Dernières volontés et testament de Seamus Q. Wolff ».

Sarah poussa un soupir de soulagement en retirant le document du coffre-fort. C'est alors qu'elle sentit un coup porté sur son épaule, et elle manqua sauter de peur jusqu'au plafond. Se retournant, elle constata que la porte du coffre s'était refermée toute seule.

Le cœur battant à tout rompre, elle repoussa la porte, mais celle-ci se referma une nouvelle fois.

Sarah ne cessait de se répéter mentalement la combinaison du coffre. 15. 2. 22. Elle se demandait pourquoi ces chiffres lui semblaient familiers. 15. 2. 22.

Le 15 février 1922.

La date de naissance de sa grand-mère ! Etait-ce une coïncidence ? Sarah avait du mal à y croire, surtout après avoir trouvé la photographie de sa grand-mère dans la commode de Seamus, mais elle n'avait pas le temps d'y réfléchir pour l'instant.

Comprenant que la porte du coffre-fort refuserait de collaborer, elle devait trouver une solution pour la maintenir ouverte. Michael voulait en effet que le coffre-fort soit grand ouvert afin que le vol soit remarqué immédiatement. Il pensait mettre ainsi un terme, ne serait-ce que provisoire, aux « accidents ».

Sarah porta son choix sur une petite enveloppe à coincer dans l'ouverture, et elle regarda machinalement l'inscription qu'elle portait. C'est alors qu'elle cligna des yeux et regarda de plus près.

La lettre était adressée à Seamus Wolff, et le cachet de la poste remontait à 1952.

Mais surtout, elle portait l'écriture si élégante de sa propre grand-mère !

Michael faisait les cent pas dans l'alcôve, se faisant l'impression d'être le salaud sans cœur que tout le monde l'accusait d'être.

Il jeta un coup d'œil à sa montre, se demandant s'il pouvait attendre encore un peu ou non. Sarah était partie depuis treize minutes, maintenant. Avait-elle été surprise par l'un des employés ? Le coffre-fort s'était-il révélé trop difficile à forcer ? Avait-elle trouvé de l'argent en plus du testament, et avait-elle joué les filles de l'air ?

Non. Il savait que c'était impossible. Non seulement parce qu'elle avait clairement expliqué qu'elle serait prête à tout pour protéger son grand-père — comme lui — mais aussi parce que ce n'était pas le style de Sarah Hewitt. Il en avait l'intime conviction.

Par ailleurs, elle n'était pas une voleuse — jusqu'à ce soir.

Et elle était devenue une voleuse à cause de lui.

Michael consulta une nouvelle fois sa montre, et il se dit qu'il avait trop attendu. Il était temps d'aller voir ce qu'elle faisait.

Comme il s'apprêtait à partir, il fut arrêté net dans son élan par la voix de Seamus, qui résonna dans la galerie.

— Michael ?

Prenant une profonde inspiration, il sortit de l'alcôve.

— Oui ?

Sourcils froncés, Seamus se rapprocha de lui.

— Je comprends que c'est ton anniversaire, mais tu devrais t'occuper un peu de tes invités.

La dernière chose dont Michael avait besoin, c'était bien d'un sermon sur la manière de s'occuper de ses invités, alors que Sarah était peut-être en danger.

C'est alors que la jeune femme sortit à son tour de l'alcôve et vint se placer à côté de lui. Michael était si soulagé de la voir qu'il afficha un grand sourire stupide. Il se tourna vers elle et dit :

— J'allais me faire gronder à cause de ma négligence envers mes invités.

— C'est ma faute, Seamus, expliqua Sarah rougissante et légèrement haletante. J'ai demandé à Michael une visite... privée.

Le regard de Seamus passa de l'un à l'autre, puis il leva les yeux au ciel. De toute évidence, il supposait qu'ils avaient fait des choses peu avouables dans l'alcôve.

Michael passa alors un bras autour de la taille de Sarah, tellement soulagé qu'elle soit revenue qu'il ne pouvait réfléchir posément. Il l'attira contre lui et savoura le contact de son corps contre le sien, regrettant que les vêtements empêchent un contact plus intime.

— Profitez-en tous les deux, et amusez-vous, dit finalement Seamus en tournant son fauteuil roulant. Je peux m'occuper des invités.

Lorsqu'ils se retrouvèrent une nouvelle fois seuls, Michael se tourna vers la jeune femme et écarta tendrement une mèche de cheveux qui barrait son front.

— Tout va bien ?

— Ça va, répondit-elle en haussant les épaules.

Il semblait incapable de s'arrêter de la toucher. Il prit son visage dans une main et demanda :

— Tu es sûre ?

— Absolument. J'ai laissé la porte ouverte, comme tu me l'as demandé. Le testament est…

— Pas maintenant, l'interrompit-il, alors qu'un éclat de rire peu élégant parvenait de l'autre extrémité de la galerie. Maureen a atteint sa limite de cocktails, et la soirée ne devrait pas tarder à se terminer. Tu me donneras le testament plus tard.

— Quand ? demanda-t-elle.

L'éclat du collier de diamants se reflétait dans ses yeux verts.

Michael lisait aussi de l'impatience au fond de son regard. Etait-ce l'impatience de le quitter, maintenant qu'elle avait rempli sa part du contrat ?

Se penchant vers elle, il lui murmura à l'oreille :

— Rejoins-moi à minuit.

10.

Un peu plus tard ce soir-là, Sarah enleva ses chaussures dans sa chambre, goûtant à la sensation de ses pieds nus qui s'enfonçaient dans la moquette épaisse. Ensuite, elle prit la lettre vieille de cinquante ans qu'elle avait cachée sous son oreiller. Une lettre de sa propre grand-mère, destinée à Seamus Wolff. Une lettre qu'il avait gardée pendant toutes ces années.

Elle savait qu'en la lisant, elle violerait une partie de leur intimité, mais sa curiosité l'emporta. Elle connaîtrait peut-être enfin les raisons de cette vendetta entre les Hewitt et les Wolff. Elle saurait peut-être enfin pourquoi Seamus et Bertram se portaient une telle animosité.

Elle ouvrit l'enveloppe et en tira une feuille de papier à lettres rose, qu'elle déplia avec soin. En voyant l'écriture élégante de sa grand-mère, elle sentit sa gorge se nouer.

« Cher Seamus,

» Ce qui est arrivé entre nous la nuit dernière était une erreur. J'aime Bertram. Je sais que tu voudrais entendre autre chose, mais je dois écouter mon cœur.

» Tu es un homme bon, Seamus, et tu mérites une femme qui te ressemble. Je ne suis pas cette femme, mais j'espère que tu finiras par trouver ton âme-sœur.

» Je te demande de ne parler à personne de ce qui s'est passé. Révéler notre secret ne changerait rien, et je crains que ce soit toi qui en souffres finalement le plus.

» Je sais combien Bertram tient à ton amitié, et je ne veux en aucune manière me dresser entre vous. Avec le temps, tu comprendras que j'ai eu raison. D'ici là, je te demande de ne pas chercher à rentrer en contact avec moi.

Anna. »

Sarah lut la lettre une nouvelle fois. Sa tête tournait, ses oreilles bourdonnaient. Seamus et sa grand-mère ? Un triangle amoureux ? Une aventure secrète ?

Elle se souvenait de sa grand-mère adorée comme d'une vieille dame frêle, aux cheveux blancs, alitée, et refusant que l'on se tracasse pour elle.

Mais il ne faisait aucun doute qu'elle avait été autrefois une jeune femme belle et dynamique. Sarah l'avait vue dans l'album photo familial, dans lequel se trouvaient aussi des photographies du mariage d'Anna et Bertram.

Elle se souvenait combien le visage d'Anna rayonnait de bonheur et d'amour pour son époux.

Ce qui est arrivé entre nous la nuit dernière était une erreur.

Etait-ce possible ? Sarah n'était pas naïve au point de croire que le sexe avait été inventé par sa génération. Les hormones faisaient autant de ravages en 1952 qu'aujourd'hui. N'avait-elle pas eu tout récemment la preuve qu'il était très facile de faire une erreur, et de succomber à la passion du moment ?

Son grand-père était-il au courant ? Etait-ce la raison pour laquelle il vouait une haine aussi féroce à Seamus Wolff ?

Je dois écouter mon cœur.

C'est précisément ce que Sarah s'efforçait de ne *pas* faire. Et malgré elle, elle devait reconnaître que son cœur réclamait Michael. Ou du moins, l'homme qui lui avait fait l'amour avec autant de passion la nuit du nouvel an. Pas l'homme qui l'avait obligée à commettre un crime.

Mais il l'avait fait pour son grand-père, lui souffla une petite voix.

Même maintenant, elle lui trouvait des excuses !

Voilà pourquoi elle ne pouvait prendre le risque d'écouter son cœur, qui avait une fâcheuse tendance à penser que l'intérêt de Michael pour elle était plus que physique, plus qu'une attirance fugace. Même si elle ne pouvait nier l'alchimie sexuelle qui existait entre eux alors qu'elle s'efforçait de la combattre chaque fois qu'elle le voyait, et chaque nuit dans ses rêves.

Son seul salut consistait à quitter cette maison dès que possible, avant que son cœur et ses pulsions ne prennent le pas sur son bon sens.

La pendule de la cheminée sonna minuit. Après avoir soigneusement replié la lettre, Sarah la remit dans l'enveloppe puis la déposa dans son panier.

Sarah se dirigea ensuite vers son lit et tira l'un des coins du matelas, glissant sa main à l'intérieur du drap-housse. Après avoir tâtonné quelques instants, elle en retira une grande enveloppe.

Elle espérait sincèrement que Michael n'avait pas commis une grosse erreur. Prenant une profonde inspiration, elle se dirigea vers la porte.

Personne dans le couloir. Sarah sentait les dalles de marbre glaciales sous ses pieds nus. Elle marcha jusqu'à la chambre de Michael, et frappa doucement à la porte.

N'obtenant aucune réponse, elle tourna la poignée et ouvrit la porte. Puis elle pénétra dans la chambre et referma la porte derrière elle.

Elle crut tout d'abord qu'il n'y avait personne dans la pièce. Seule une petite lampe était allumée, projetant des ombres allongées vers le lit. Ensuite, elle vit qu'il se tenait près de la fenêtre, un verre à la main.

— Je t'ai apporté le testament de Seamus, dit-elle en s'approchant.

Le regard fixé sur les montagnes éclairées par la lueur de la lune, Michael ne répondit pas et ne prit même pas la peine de se retourner.

Alors, Sarah s'avança en lui tendant l'enveloppe, mais Michael se contenta de vider son verre.

Il était toujours vêtu de son smoking, mais il avait dénoué sa cravate et les deux premiers boutons de sa chemise blanche étaient ouverts.

Ses cheveux noirs étaient décoiffés, comme s'il y avait passé les mains à plusieurs reprises. Il se dégageait une certaine fureur de sa personne. Quelque chose qui ne pouvait pas uniquement s'expliquer par un abus de boisson.

— Je partirai demain matin, dit-elle doucement, tout en posant l'enveloppe sur le rebord de la fenêtre.

Ensuite, elle se retourna et s'apprêta à partir.

— Et le collier ? demanda-t-il.

Sarah s'arrêta et porta une main à sa gorge. Elle avait presque oublié le collier.

— Je le laisserai dans ma chambre, avec la robe et les chaussures, et… le reste.

Quand il se tourna enfin vers elle, elle distingua un éclat indéfinissable dans ses yeux gris.

— Le fermoir est difficile à manier. Tu auras besoin d'aide pour l'enlever.

— J'appellerai Maria, répondit-elle, alors que son cœur s'accélérait en le voyant s'approcher.

— Maria dort, dit-il en se plaçant derrière elle et en posant ses mains sur les épaules de la jeune femme. Laisse-moi faire.

Sarah savait qu'elle ne pouvait refuser, au risque de passer pour une lâche ou une idiote. Alors, elle acquiesça d'un signe de tête, et elle écarta les petites mèches de cheveux de sa nuque pour qu'il accède plus facilement au fermoir.

— Si parfaite, chuchota-t-il tandis que ses mains glissaient doucement sur les épaules de Sarah.

Immédiatement, elle sentit son ventre palpiter de désir, et elle ferma les yeux.

— Michael, s'il te plaît, je…

— Laisse-moi faire, demanda-t-il d'une voix rauque avant d'embrasser tendrement sa nuque.

Ses lèvres suivirent l'arrondi de son épaule pendant que ses mains glissaient le long de ses bras pour enlacer sa taille.

Sarah resta immobile dans son étreinte, son dos appuyé contre le torse large et puissant de Michael. Elle avait peur de bouger. Peur de ne pas bouger. La sensation de ses mains sur sa taille et de sa bouche sur son cou rendait toute pensée rationnelle impossible.

Lorsque les mains de Michael remontèrent le long de son ventre pour emprisonner ses seins, elle rejeta sa tête en arrière en laissant échapper un doux gémissement.

— Si douce, dit Michael dans un souffle, alors que sa bouche embrassait la gorge de la jeune femme.

Pendant ce temps, ses doigts jouaient avec la pointe de ses seins, tendus sous la mousseline de sa robe.

Il la fit se retourner vers lui et plaqua son corps de sirène contre son corps dur et tiède.

— Si… mienne, ajouta-t-il dans un grognement, avant de capturer sa bouche dans un baiser.

Sarah avait perdu complètement pied. Le désir de Michael l'engloutissait complètement. Elle l'entendait dans sa voix, le voyait dans son regard, le sentait dans ses baisers.

Elle noua alors ses bras autour de son cou tandis qu'il approfondissait son baiser, ses mains attirant le ventre de Sarah contre la manifestation de son désir. Et elle voulait être encore plus près, pour atteindre enfin ce recoin secret caché au plus profond de lui-même où il n'avait jamais laissé quiconque entrer. Connaître le véritable Michael Wolff.

Ecartant ses lèvres, elle sentit sa langue parfumée au cognac qui caressait l'intérieur de sa bouche, l'enivrant de sa passion. Il émit un grognement profond lorsqu'elle lui rendit son baiser, mêlant sa propre chaleur à la sienne.

L'élixir du désir envahit chacune de ses veines, la rendant libertine et audacieuse. Elle remonta alors sa robe suffisamment haut sur sa cuisse pour pouvoir passer une jambe autour de la taille de Michael, et elle se mit à onduler contre lui alors qu'il l'embrassait encore.

Michael laissa échapper un autre grognement, plus fort, et il appuya le bassin de la jeune femme contre le sien. Mais lorsqu'il la souleva dans ses bras pour la porter jusqu'à son lit, elle ressentit un pincement d'appréhension au creux de son estomac et des doutes commencèrent à envahir son esprit.

Faire l'amour avec Michael ne serait pas sans conséquences. Du moins pour elle : elle y perdrait sa fierté. Et surtout son cœur.

Et lui ? Souhaitait-il uniquement la posséder, comme une de ses antiquités égyptiennes ? Une potiche qu'il pourrait admirer et exhiber jusqu'à ce qu'il s'en lasse ?

C'est alors qu'il l'embrassa de nouveau, l'asseyant sur ses genoux, sur le bord du lit. D'une main, il fit descendre une des fines bretelles de sa robe de soirée pour découvrir sa poitrine.

Sarah voulut l'arrêter, mais quand il pencha sa tête pour prendre un sein dans sa bouche, elle s'abandonna aux délicieuses sensations qui envahissaient son corps, l'attirant plus près d'elle pendant que sa langue s'enroulait autour d'un mamelon.

Ensuite, ils se retrouvèrent tous deux allongés sur le lit et les mains de Michael trouvèrent la fermeture Eclair de la robe.

Le bruit de la fermeture à glissière qui descendait doucement transforma la passion qui la consumait en panique et elle se dégagea de son étreinte, tentant de reprendre sa respiration.

— Il faut que je m'en aille.

— Pas encore, dit-il en tentant de l'arrêter.

Mais elle se leva du lit, à moitié déshabillée. Pudiquement, elle serra sa robe contre elle.

— Quel est le problème ?

— Je ne veux pas recommencer, bafouilla-t-elle. Je pars. Pour de bon.

— Non, répondit-il en crispant sa mâchoire.

— Mais nous avions conclu un marché. Tu avais promis de me laisser partir en échange du testament de Seamus.

— Ce n'était qu'une partie du marché, rétorqua Michael en se rapprochant d'elle. Tu as aussi accepté d'être la garde-malade de mon grand-père le temps de sa convalescence.

Levant le regard vers lui, elle comprit alors que sa réputation d'homme impitoyable n'était pas usurpée.

— Tu ne me laisseras pas partir tant que je n'aurai pas couché avec toi, c'est ça ?

— Tu as envie de moi, dit Michael, sans prendre la peine de nier. Je le sais.

— Cela ne marchera pas, répondit-elle, en sentant la colère monter en elle. Tu ne peux pas m'obliger à t'aimer contre mon gré !

— Je ne tc demande pas de m'aimer, rétorqua Michael. Je ne suis pas stupide à ce point. Je te veux seulement dans mon lit. Et à en juger par ta réaction il y a quelques minutes, tu veux la même chose que moi. Alors pourquoi te compliques-tu la vie ?

Sarah savait bien qu'il était inutile de discuter, mais elle s'y risqua tout de même.

— Michael, je ne te parle pas seulement d'une pulsion de désir. Moi, je veux un homme qui désire mon cœur et mon âme autant qu'il désire mon corps.

— Ou bien tu as tout simplement peur, continua Michael. C'est pour cela que tu es tellement pressée de t'enfuir. Parce que si tu restes, tu sais très bien que tu ne pourras pas résister à ce qu'il se passe entre nous.

— Tu as raison, reconnut-elle en relevant le menton. Et si nous faisons l'amour alors que tu me gardes prisonnière dans cette maison, je ne serai ni plus ni moins que ton esclave sexuelle.

Sourd à ses protestations, il l'attira dans ses bras avec un grognement de pure frustration.

— C'est moi qui suis prisonnier. Je pense sans arrêt à toi, et je te désire à chaque minute.

Elle posa ses mains sur les épaules de Michael pour l'empêcher de l'attirer plus vers lui, et pour s'empêcher de tomber une nouvelle fois dans ses bras.

— Nous sommes trop différents, dit-elle en repensant au dîner, pendant lequel elle s'était sentie si seule au milieu des autres invités. Nous venons de deux mondes différents, ajouta-t-elle.

— Alors, viens dans mon monde, implora-t-il. Je t'achèterai une maison en ville. Je te donnerai tout ce que tu voudras.

Mais sa proposition n'eut pas l'effet escompté, et elle se recula.

— Pour que je passe du statut d'esclave sexuelle à celui de maîtresse entretenue ? Non, merci.

— Ce n'est pas ce que je voulais dire, dit-il en passant une main dans ses cheveux. En fait, je ne sais pas ce que je voulais dire. Nous en reparlerons demain matin.

— Non, dit-elle en se dirigeant vers la porte. Inutile.

— Sarah…

Mais la jeune femme sortit de sa chambre sans même se retourner, déchirée entre la douleur, la colère et la confusion. En refermant la porte derrière elle, elle aperçut Beatrice qui venait à sa rencontre. Elle se rendit alors compte que sa robe, défaite dans le dos, et l'état de sa coiffure ne laissaient aucun doute sur ce qui venait de se passer.

Le regard de Beatrice passa plusieurs fois de Sarah à la porte de la chambre de Michael.

— Vous souhaitiez un joyeux anniversaire à Michael ? demanda-t-elle, haussant les sourcils.

— Oui, répondit hâtivement Sarah, avant de partir en direction de sa chambre. Bonne nuit.

— Bonne nuit, dit Beatrice, qui se retourna pour la suivre du regard.

Sarah claqua la porte de sa chambre. Ensuite, elle sortit ses valises du placard et les posa sur le lit.

Elle y avait déjà rangé une moitié de ses vêtements quand elle comprit qu'elle ne pouvait pas partir — pas tant qu'il y avait encore le moindre risque que Michael remette la cassette de la caméra de surveillance à la police.

D'un autre côté, il ne pouvait la retenir infiniment prisonnière.

Vraiment ?

11.

Le lendemain matin, Michael se réveilla avec un mal de tête dû à sa consommation excessive d'alcool de la veille tandis que la voix furieuse de son grand-père parvenait à ses oreilles.

Il se leva de son lit en titubant et enfila sa robe de chambre avant de se diriger vers la porte.

Des images de la veille lui revinrent à la mémoire : Sarah, qui avait l'air d'une princesse dans sa robe de soirée blanche. Sa manière de relever les cheveux de son cou quand il avait défait le collier de diamants. La surprise dans son regard quand il lui avait ni plus ni moins proposé d'être sa maîtresse.

Bon sang ! Ce n'est pas ce qu'il avait voulu dire mais, à la lumière du jour, il comprenait qu'elle ait pu mal interpréter ses paroles.

Michael traversa le couloir en direction de la chambre de son grand-père, dont la porte était entrouverte. Sarah s'y trouvait, elle aussi, en robe de chambre. Elle jeta un coup d'œil rapide à Michael puis détourna le regard en rougissant.

Il voulait lui présenter des excuses pour la veille, lui expliquer que la grossièreté de sa conduite était avant tout le résultat de son abus d'alcool. Mais en vérité, il était surtout grisé par son désir pour elle. Toutefois, voyant le visage livide de son grand-père, il devina que le moment était mal choisi.

— Que se passe-t-il ? demanda-t-il à Seamus, qui se tenait devant le coffre-fort ouvert en s'agrippant à son déambulateur.

Beatrice, vêtue d'un peignoir de soie, était à son côté, donnant l'impression de vouloir retourner se coucher.

— Il faut appeler la police, dit Seamus. Quelqu'un s'est introduit ici hier soir et a forcé mon coffre-fort.

Michael pensait s'être préparé à la réaction de son grand-père, mais vivre la situation lui fit l'effet d'un coup de poing dans l'estomac, et l'indignation du vieil homme lui fit se demander une fois de plus s'il avait eu raison. La culpabilité cognait à ses tempes.

— Il manque quelque chose ? demanda Michael, en s'efforçant d'avoir l'air innocent et se détestant déjà de mentir à son grand-père.

Il ne regarda pas Sarah, craignant ce qu'il aurait pu lire dans les yeux de la jeune femme.

— Oui, répondit Seamus, toujours aussi livide. Il manque quelque chose. Une lettre — une lettre *personnelle* — qui m'était adressée.

Ce n'était pas la réponse que Michael attendait… Sarah lui avait pourtant bien remis une enveloppe contenant le testament. En fait, il avait été tellement hypnotisé par la jeune femme qu'il n'avait même pas pris la peine d'en vérifier le contenu.

S'était-elle trompée ? Ou pire, avait-elle essayé de le duper une nouvelle fois ? Ne sachant que penser, Michael se frotta le front et tenta de se remémorer les événements de la veille. Il se souvenait combien elle était impatiente de partir. La colère dans ses yeux quand il l'avait menacée une nouvelle fois de remettre la fameuse cassette vidéo à la police. Après tout, elle lui avait bien déjà menti, alors pourquoi n'aurait-elle pas recommencé ?

Non, Michael refusait de le croire. Même quand Beatrice se mit à faire l'inventaire du reste du contenu du coffre, il persista à se répéter qu'il devait s'agir d'une erreur.

Seamus frappa le sol avec son déambulateur pour attirer l'attention de son petit-fils.

— Alors, qu'attends-tu ? Appelle la police. Je veux porter plainte.

Michael savait qu'il devait faire preuve d'une plus grande prudence. En effet, malgré toutes les précautions prises, il ne pouvait risquer que la police découvre la preuve de l'implication de Sarah.

— Faisons tout d'abord l'inventaire du coffre. S'il ne manque qu'une lettre…

— Le testament ! s'écria alors Beatrice en blêmissant. Il manque le testament.

— Tu es sûre ? demanda Michael, à la fois soulagé et confus.

Sarah avait donc bien dérobé le testament, mais où était alors cette mystérieuse lettre ? Et pourquoi son grand-père semblait-il y tenir autant — et bien plus qu'à ses dernières volontés ?

— Evidemment que j'en suis sûre, rétorqua-t-elle, pendant que son regard allait de Michael à Sarah. Et je pense savoir qui l'a pris.

Michael sentit Sarah se crisper à côté de lui, et il réprima l'envie de passer un bras autour d'elle. Il avait en effet appris la nuit dernière qu'elle n'avait ni besoin ni envie de personne pour la protéger — et surtout pas de lui.

— Je crois que nous devrions éviter de lancer des accusations à tort et à travers, fit remarquer Michael, surtout quand nous n'avons aucune preuve.

— Nous n'avons pas besoin de preuve, répondit Beatrice. Tu es le seul ici à avoir un mobile.

Ensuite, elle se tourna vers son époux, sachant qu'il lui faudrait le convaincre.

— Michael ne m'a jamais appréciée, expliqua-t-elle, et il n'a jamais approuvé notre mariage. Je suis sûre qu'il a été furieux d'apprendre que tu avais rédigé un nouveau testament, dans lequel tu me laisses tout, et rien pour lui.

— Sottises, répondit Seamus en haussant les épaules. Mon petit-fils est déjà presque aussi riche que moi. Il n'a pas besoin de mon argent.

— Je n'en serais pas aussi sûre, insinua Beatrice. Il semble ne s'intéresser qu'à l'argent. Il passe son temps à manigancer toutes ces O.P.A. hostiles, et ces rachats d'entreprises. En fait, je crois que l'argent l'intéresse plus que les gens.

Avant que Michael n'ait eu le temps d'accuser Beatrice de la même chose, Sarah intervint pour prendre sa défense.

— Vous êtes injuste.

Les trois autres se tournèrent vers elle. Michael avait du mal à croire qu'elle prenait sa défense, surtout après la manière dont il s'était comporté la veille.

Sarah sembla soudain se rendre compte qu'elle avait pu donner l'impression d'être sur la défensive, et elle reprit de manière plus posée :

— Je voulais dire qu'il est important de ne pas s'emporter dans ce genre de situation.

— Et moi je crois que Michael et vous êtes complices, accusa Beatrice. Après tout, je vous ai vue sortir de sa chambre, hier soir.

Michael ferma les yeux, se demandant si la journée pouvait encore empirer. Il n'eut pas à attendre longtemps avant d'obtenir la réponse.

Beatrice se tourna de nouveau vers son mari, et lui dit en posant une main sur son avant-bras :

— Je sais que c'est difficile à entendre pour toi, mais je ne vois pas d'autre explication.

— Tu te trompes, répondit Seamus en se dégageant. Je sais qui est le voleur. Bertram Hewitt.

— Qui ? demanda Sarah, livide.

— Ce type est cinglé, expliqua Seamus, prenant la surprise de la jeune femme pour de l'incompréhension. Il m'en veut depuis des années et des années, et Bertram s'est déjà introduit dans cette maison. Pour voler le collier de diamants que vous portiez hier soir, ajouta-t-il en regardant Sarah.

Les yeux écarquillés d'horreur, la jeune femme ouvrit la bouche, mais aucun son n'en sortit.

Michael savait qu'il devait intervenir avant qu'il ne soit trop tard. Si Sarah avait accepté de vivre chez les Wolff pendant quelque temps et de voler le testament, c'était pour protéger son grand-père. Or, il s'avérait maintenant que ce pauvre Bertram était accusé d'un crime qu'il n'avait pas commis.

— Réfléchissons une minute, proposa Michael, en s'efforçant de garder son calme. Le vol de ce collier remonte à longtemps, et Bertram a payé sa dette de plusieurs années de prison. Pourquoi recommencerait-il aujourd'hui ?

— Parce que Bertram m'a contacté il y a deux mois, déclara Seamus. Il disait que nous savions tous les deux que je l'avais arnaqué et qu'il était temps que je fasse amende honorable. Qu'll méritait sa part, et que sa famille ne devait plus souffrir.

Michael vit Sarah pâlir, et il voulut l'enlacer et lui assurer que tout irait bien. Toutefois, il en doutait lui-même. Jamais il n'avait vu son grand-père aussi furieux.

— Et la cassette ? dit Beatrice, en regardant le coffre-fort. La caméra de sécurité a probablement tout filmé. Nous n'avons qu'à visionner la cassette pour démasquer le coupable.

Michael s'avança vers le coffre, puis fit glisser le panneau du mur adjacent qui dissimulait la caméra.

— La voilà, dit-il en sortant la cassette.

Mais Beatrice et Seamus ignoraient qu'il avait débranché le système de sécurité la veille au soir, et que la caméra ne fonctionnait pas au moment où Sarah avait forcé le coffre-fort.

— Nous tenons donc la preuve que Bertram Hewitt se cache derrière tout cela, affirma Seamus avec conviction. Il a certainement appris plein de tours de voyou pendant qu'il était derrière les barreaux, et il se croit trop malin pour être démasqué cette fois.

Beatrice pinça la bouche.

— Bertram a volé ma lettre et mon testament. Je le sais, ajouta Seamus.

— On ne peut être sûre de rien pour l'instant, avança Michael. Alors, avant de commencer à dénoncer qui que ce soit à la police, permettez-moi de contacter Cole Rafferty. Il peut enquêter discrètement.

— Comme c'est pratique pour toi, lança Beatrice sur un ton sarcastique. Le détective privé que tu souhaites engager se trouve justement être ton meilleur ami !

Sachant qu'il serait vain de vouloir discuter avec elle, Michael se tourna vers Seamus.

— Si nous appelons la police, ils soupçonneront chacun des invités présents hier soir — et notamment des personnes avec lesquelles nous travaillons et qui n'apprécieront certainement pas d'être mêlées à une enquête...

Seamus hésita un court instant, puis acquiesça d'un signe de tête.

— Tu as raison. Appelle ce détective, afin que nous puissions garder le contrôle de la situation. Et dès que nous aurons des preuves solides contre Hewitt, nous irons voir la police.

Michael poussa discrètement un soupir de soulagement.

— Je m'occupe de tout.

— Et le testament ? s'exclama Beatrice. On ne sait pas combien de temps pourra durer l'enquête, et je pense que tu devrais réécrire un nouveau testament. Tout de suite.

Seamus ricana.

— Alors que je suis en pyjama ?

— Michael et Sarah peuvent te servir de témoins, continua Beatrice, sans se laisser démonter. S'ils sont réellement innocents, je pense que ça ne les dérangera pas.

Un silence de plomb s'installa dans la pièce comme Seamus se tournait vers sa femme.

— Pourquoi cet empressement ? On croirait presque que tu attends ma mort…

— Non, bien sûr que non, bafouilla-t-elle.

— A se demander si ce maudit testament ne compte pas plus pour toi que moi, commenta Seamus.

Beatrice devint livide.

— Evidemment que non, mon chéri ! Tu le sais. Je trouve seulement étrange que quelqu'un ait dérobé ton testament. C'est clairement une attaque dirigée contre moi, comme j'en suis la principale bénéficiaire.

Il hocha la tête.

— Hewitt est derrière cette affaire. Il croit sans doute qu'il peut mettre la main sur mes biens si je rends l'âme avant qu'il n'ait pu s'emparer de ce collier. Cela montre bien qu'il n'est pas aussi malin qu'il le croit.

Beatrice s'approcha alors du déambulateur, et elle posa sa main fine sur la main ridée de Seamus.

— Dans ce cas, prouvons-lui qu'il se trompe. Ecrivons un nouveau testament.

— Soit, céda Seamus. Nous le ferons…

— Bien, dit Beatrice, qui avait retrouvé le sourire.

— … Dès que mon avocat sera rentré, ajouta Seamus.

Le sourire de Beatrice se figea.

— Mais ce ne sera pas avant au moins un mois !

— Et alors ? demanda Seamus, arquant ses sourcils grisonnants.

Beatrice hésita avant de répondre, puis déglutit et articula avec peine :

— C'est très bien, Seamus. Tu sais bien que tout ce qui te satisfait me satisfait aussi.

— Bien. Je souhaite me recoucher, maintenant. Cela bien fait trop longtemps que je suis debout sur cette hanche.

— Je vais t'aider, dit Beatrice en se relevant.

— Non, répondit-il en s'écartant. Je veux que ce soit Sarah.

Face à l'expression de Beatrice, Michael aurait presque pu éprouver de la peine pour elle… si elle ne s'était pas montrée aussi clairement sous son vrai jour. Enfin, Seamus avait l'occasion de connaître la vérité sur son épouse.

L'heure était venue de révéler toutes les informations que son détective privé avait trouvées à charge contre elle.

Michael se dirigea vers la porte, et il jeta un coup d'œil par-dessus son épaule, pour regarder Sarah aider le vieil homme à se recoucher. Elle s'occupait de son grand-père avec une telle gentillesse.

Douce et innocente. Sauvage et exubérante. Il s'était demandé laquelle était la véritable Sarah. Aujourd'hui, il savait qu'elle était les deux.

Et il ne la désirait que plus.

Une heure plus tard, Sarah sortit de la chambre de Seamus en refermant doucement la porte derrière elle, afin de ne pas le réveiller.

Elle trouva Michael, qui l'attendait dans le couloir. Il s'était préparé entre-temps : il était rasé de près, ses cheveux étaient impeccablement coiffés, et il portait un costume et une cravate. Maureen avait raison : il était sexy en diable !

— Comment va-t-il ? s'enquit-il à voix basse.

— Il est épuisé. Et plutôt énervé. Je ne l'ai jamais vu aussi agité, même le jour où je lui ai supprimé son whisky.

Jetant un regard vers la porte, Michael demanda :

— Beatrice est avec lui ?

— Elle est partie il y a environ une demi-heure. Seamus ne voulait même pas la regarder.

— Tu m'en veux ?

— Et qui d'autre est responsable de tout cela ? répliqua Sarah d'un ton sec.

Après tout ce qu'elle avait fait pour protéger son propre grand-père, c'est son nom qui avait été cité en premier comme suspect.

— Qui m'a demandé de voler le testament ?

— Mais je ne t'ai pas demandé de voler aussi une lettre. De quoi s'agit-il ?

— C'est une longue histoire, dit-elle en se massant les tempes, alors qu'elle sentait une migraine arriver.

Elle avait très peu dormi, cette nuit, trop énervée après son altercation avec Michael, et trop anxieuse à propos du lendemain.

— Je resterai tant que je n'aurai pas obtenu de réponse.

Il ne lui laissait guère le choix… Alors, se dirigeant vers sa propre chambre, elle dit :

— Suis-moi. Tu comprendras mieux si je te montre.

Sarah pouvait sentir le regard de Michael peser sur elle comme elle passait la porte et marchait vers la commode. Elle avait caché la lettre dans une boîte de croquettes pour chiens de Napoléon. Qui sait si Seamus n'allait pas ordonner une fouille systématique de chaque pièce de la maison ?

Lorsqu'elle tendit l'enveloppe rose à Michel, celui-ci grimaça en brossant les quelques croquettes qui étaient collées. Ensuite, il sortit la lettre qu'il lut rapidement.

— Qui est Anna ? demanda-t-il enfin.

— Ma grand-mère.

Il leva le regard.

— Ils avaient une aventure ?

— Rien ne l'indique avec certitude, répondit-elle en lui reprenant la lettre pour la replacer dans l'enveloppe.

— Je trouve pourtant que c'est clair.

Il se rapprocha d'elle, et les sens de la jeune femme se mirent immédiatement en alerte. Et si jamais il l'embrassait de nouveau ? A cette perspective, elle serra ses lèvres.

— C'est donc la raison de cette stupide vendetta entre eux ? demanda-t-il. A cause d'une femme ?

— Je l'ignore, répondit-elle sincèrement. Selon mon grand-père, c'est à cause du collier.

Michael ne semblait pas convaincu.

— Tu as bien vu la réaction de mon grand-père quand il s'est rendu compte que la lettre avait disparu ? Je pense qu'elle compte beaucoup plus pour lui que le collier ou le testament.

— Je crois que nous ne le saurons jamais avec certitude.

— Cela prouve au moins que la vieille malédiction des Wolff se perpétue.

— Quelle malédiction ?

— Tu n'en as jamais entendu parler ? demanda Michael, en soulevant un sourcil. L'argent ne fait pas le bonheur.

Elle le regarda un long moment en silence.

— Alors, tu crois que ton argent t'empêche d'être heureux ?

— Mon grand-père est superstitieux, dit-il sans répondre à la question. C'est certainement dû à ses racines irlandaises.

Sarah eut le sentiment que Seamus n'était pas le seul à croire à la malédiction. Du reste, Michael aurait-il des raisons d'en douter ? Les cinq mariages de son grand-père s'étaient soldés par des échecs, et le sixième était sur le point de voler en éclats. Quant aux parents de Michael, ils s'étaient aussi séparés pour des raisons qu'elle ignorait encore.

Et pourquoi était-il toujours célibataire ? Parce qu'il se croyait maudit ?

— De nombreux mariages se terminent mal, dit-elle, même si la plupart du temps, c'est plutôt par manque d'argent que le contraire.

— Tes grands-parents sont restés ensemble. Anna a préféré Bertram à mon grand-père, et elle ne l'a de toute évidence pas regretté. Nous savons pourtant tous les deux qu'il l'aurait accueillie à n'importe quel moment, et qu'aujourd'hui encore il l'aime.

Sarah joua avec l'enveloppe rose dans ses mains, se rappelant la détresse qu'elle avait lue dans les yeux de Seamus, ce matin.

— Je n'aurais jamais dû prendre cette lettre. Mais quand j'ai reconnu l'écriture de ma grand-mère, ma curiosité l'a emporté. Tu sais, j'étais loin de me douter que Seamus réagirait ainsi. Et je ne vois pas comment la lui rendre sans susciter de nouveaux soupçons.

Michael tendit la main pour prendre l'enveloppe, ses doigts frôlant la main de Sarah.

— Ne t'inquiète pas. Je demanderai à Cole de la lui remettre dans quelques jours. Il peut toujours dire qu'il l'a trouvée dans l'allée.

— Alors, tu envisages vraiment d'engager un détective privé ?

— C'est déjà fait. Mais pas pour le vol du testament, bien entendu. J'essaie de rassembler des preuves contre Beatrice. Après la scène de ce matin, je pense qu'il ne sera pas difficile de convaincre Seamus de ses mauvaises intentions.

— Que se passera-t-il alors ? demanda-t-elle, doutant qu'il ait envisagé toutes les conséquences de ses actes.

— Il se débarrassera d'elle.

Le regardant dans les yeux, elle dit :

— Tu dis cela si froidement…

Michael soutint son regard.

— Tu crois que j'aime ce qui arrive ? Tu sais, j'ai vu mon grand-père épouser une femme après l'autre, attendant que l'une d'elles veuille bien l'aimer. Mais c'était toujours une question d'argent. Chaque fois, ajouta-t-il sur un ton de colère mais aussi de douleur.

— Pourquoi ai-je le sentiment que nous ne parlons plus uniquement de ton grand-père ? demanda Sarah d'une voix douce.

— Parce que tu penses trop, répliqua-t-il en se tournant vers la porte, visiblement crispé. Je dois aller travailler. Occupe-toi bien de lui aujourd'hui, d'accord ?

— Je te le promets, lui assura-t-elle, se demandant comment faire pour gagner la confiance de Michael.

Arrivé à la porte, celui-ci se retourna.

— Au fait… Je voulais te présenter mes excuses concernant hier soir. Cela ne se reproduira plus.

Puis il partit.

Sarah garda le regard fixé sur la porte, repensant à tout ce qu'il s'était passé entre eux depuis la veille au soir. Le baiser. Sa proposition. La passion.

Michael Wolff lui avait promis de ne pas recommencer… mais de quoi voulait-il parler ?

12.

— Encore quelques pas, encouragea Sarah, comme elle marchait dans le couloir avec Seamus.

Elle tenait le vieil homme par le bras, mais celui-ci s'appuyait à peine sur elle, préférant transférer son poids sur sa toute nouvelle canne.

— Quelle poisse de vieillir, marmonna-t-il entre ses dents.

Seamus avait accéléré sa rééducation pendant la semaine qui avait suivi le cambriolage du coffre-fort, demandant à Sarah de l'aider à remarcher sinon il se débrouillerait sans elle. Il avait fait des progrès impressionnants, mais elle pouvait voir à l'expression de son visage que chaque pas le faisait souffrir.

Ils arrivèrent enfin à sa chambre et Sarah l'aida à s'asseoir dans un fauteuil, dans lequel il se laissa tomber en lâchant sa canne.

Sarah la ramassa et la posa contre le fauteuil.

— Je vous avais dit que nous n'aurions pas dû faire le deuxième aller-retour dans le couloir, monsieur.

— C'est parce que vous êtes une pessimiste.

Malgré la fatigue, une petite étincelle de malice brillait au fond de ses yeux marron.

— Ou vous aviez plus simplement peur que je ne tienne pas le coup.

Elle sourit, heureuse de voir qu'il retrouvait son humour en même temps que sa forme physique. Le vieil homme avait en effet un humour plein de malice et une intelligence vive.

Tout comme son petit-fils.

Non pas qu'elle ait pu apprécier beaucoup l'un et l'autre chez Michael, récemment, pour la bonne raison qu'elle ne l'avait pas vu du tout. Il gardait ses distances, respectant la promesse qu'il lui avait faite. Plus de regards insistants. Plus de frôlements accidentels. Plus de baisers torrides dans le couloir.

Sarah essayait de se convaincre que ce n'était pas grave. Que ses sentiments pour Michael ne la mèneraient nulle part, puisque, de toute façon, il était persuadé d'être maudit en amour.

Comme elle servait un verre d'eau à Seamus, son regard s'attarda sur la lettre de sa grand-mère. Cole Rafferty l'avait rendue à Seamus quelques jours plus tôt, comme Michael le lui avait promis. Depuis, Seamus gardait la lettre sur la table de nuit, à côté de lui.

— Ne me dites pas que vous êtes une fouine en plus d'être une pessimiste, la taquina Seamus en suivant son regard.

Souriant, elle lui tendit le verre.

— Je reconnais que j'aimerais bien savoir pourquoi cette lettre compte autant pour vous.

— Ma femme aussi, dit Seamus, avant d'avaler une grande gorgée d'eau fraîche. Mais ce n'est rien qu'une lettre d'adieu. Pouvez-vous croire qu'une femme ait vraiment pu repousser un bel homme comme moi ?

Toutefois, son sourire n'atteignit pas ses yeux, cette fois. S'appuyant contre un fauteuil, Sarah répondit :

— Elle devait certainement avoir une bonne raison.

— Pas assez bonne pour moi, marmonna-t-il en haussant les épaules.

— Vous l'aimiez beaucoup ?

Pendant quelques instants, Sarah pensa qu'il ne répondrait pas, puis il finit par dire :

— C'est triste à dire, mais Anna est la seule femme que j'aie vraiment aimée. La seule qui ait vraiment eu de l'affection pour moi.

Sarah sentit sa gorge se serrer tant le vieil homme avait parlé sur un ton triste.

— Beatrice a de l'affection pour vous.

— Beatrice a besoin de moi, corrigea Seamus. La différence est énorme. Maintenant, laissez-moi. Je suis fatigué.

Sa bonne humeur avait disparu, mais Sarah savait que c'était sa faute. Elle n'aurait pas dû évoquer un sujet aussi douloureux, même cinquante ans après.

Après avoir installé le vieil homme pour qu'il fasse une sieste, Sarah descendit au jardin d'hiver du rez-de-chaussée pour jouer avec son chien. Nappy sembla ravi de la voir.

Elle prit une balle de caoutchouc dans la main, et le petit chien se mit à sauter autour d'elle et à aboyer de joie. Lorsqu'elle lança la balle, il la suivit en courant.

Mais Sarah ne pouvait oublier la conversation qu'elle venait d'avoir avec Seamus. La tristesse de son regard. Le regret dans sa voix.

Elle se disait que quitter cette maison — et Michael — serait la meilleure solution pour oublier le vent de passion qu'il avait fait souffler sur sa vie, la manière dont il avait touché son âme comme aucun homme avant lui. Mais si Sarah ne parvenait pas à l'oublier ? Si, dans cinquante ans, elle aussi éprouvait des regrets ?

Lorsque le chien revint avec la balle dans sa gueule, elle le souleva de terre et le serra contre elle.

— Que dois-je faire, Nappy ?

Le cairn terrier répondit en aboyant, laissant tomber la balle. Voyant cela, il gigota pour descendre et repartir à sa poursuite.

Sarah savait que la réponse se trouvait dans son cœur, et nulle part ailleurs.

Plus tard ce même après-midi, après avoir déployé de nombreuses ruses pour faite taire les pensées qui l'assaillaient, elle alla frapper doucement à la porte de Seamus avant d'entrer. Le vieil homme dormait toujours profondément, les traits de son visage détendus.

Ouvrant le tiroir de la table de nuit, elle en sortit la boîte d'antalgiques. Comme elle se penchait vers lui pour lui tapoter doucement l'épaule, Sarah se réprimanda intérieurement pour l'avoir laissé faire autant d'exercice.

— Réveillez-vous Seamus. Il est l'heure de prendre votre médicament.

Elle détestait avoir à le réveiller, mais elle savait qu'il devait prendre son médicament à heures fixes pour que celui-ci soit efficace.

— Seamus ?

Aucune réaction.

Elle le poussa un peu plus fort et éleva la voix.

— Seamus ! Réveillez-vous.

Toujours aucune réponse.

La tête du vieil homme roula sur le côté, et Sarah sentit son estomac se nouer sous l'effet de l'angoisse. La peau de son visage avait une teinte grisâtre et, quand elle souleva ses paupières, elle ne vit que le blanc de ses yeux.

Michael aperçut l'ambulance dès qu'il passa le portail de la propriété. Il se gara juste à côté du véhicule, et sortit en trombe de sa voiture. Quand il arriva au deuxième étage, il était à bout de souffle.

Sarah se tenait devant la chambre de son grand-père, et elle se retourna quand elle le vit courir dans le couloir. L'expression de la jeune femme glaça le sang de Michael.

— Que s'est-il passé ? cria-t-il.

Elle tendit le bras pour l'empêcher d'entrer dans la chambre de son grand-père.

— J'ai trouvé Seamus inconscient dans son lit. Les secouristes sont avec lui, ainsi que son médecin. C'est Beatrice qui l'a appelé.

Ce qui expliquait la présence de l'autre voiture dans l'allée. Mais pourquoi les secouristes ne l'avaient-ils pas encore emmené à l'hôpital ? Son état empêchait-il qu'on le transporte ?

— Que lui arrive-t-il ?

Elle prit les mains de Michael dans les siennes, et ce contact l'apaisa quelque peu.

— J'ai entendu les secouristes parler d'un éventuel empoisonnement, mais ils m'ont ensuite fait sortir de la chambre. Nous devons attendre l'avis du médecin.

Un empoisonnement ? Michael sentit soudain sa tête tourner, et il comprit qu'il avait failli à sa tâche, celle de protéger son grand-père, qui avait remplacé ses parents, lui donnant tout son amour, restant toujours présent à son côté. Michael sentit le poids de la culpabilité alourdir sa poitrine.

— Beatrice est avec ton grand-père, dit Sarah, en serrant ses mains pour le rassurer. Ne t'inquiète pas. Elle ne peut rien lui faire en présence des secouristes et du médecin.

— Sauf s'il est trop tard.

Il passa alors ses bras autour de Sarah, oubliant la promesse qu'il lui avait faite une semaine plus tôt. En ce moment précis, il avait besoin de se raccrocher à quelqu'un de tendre et de bon, de réchauffer le vide froid qui menaçait de l'envahir.

Sarah le laissa la serrer contre lui, devinant les sentiments qui se bousculaient en lui. Sa présence l'apaisait, et il se demanda comment cela était possible alors que, la plupart du temps, la jeune femme perturbait ses sens.

— Je pensais résoudre le problème en faisant disparaître le testament, murmura-t-il. Je pensais qu'elle abandonnerait.

— Nous ignorons si Beatrice est responsable, dit doucement Sarah.

Ensuite, elle prit le visage de Michael entre ses mains.

— Tu as l'air bouleversé. Tu devrais t'asseoir et essayer de te calmer.

Michael voulait continuer à la serrer contre lui, mais il écouta son conseil et s'assit sur une banquette qui se trouvait dans le couloir.

Pendant que Sarah s'asseyait à côté de lui, il garda les yeux rivés sur la chambre de Seamus. Pourquoi était-ce si long ?

— Beatrice semblait, elle aussi, inquiète, dit Sarah.

Michael se tourna vers elle.

— Cole m'a rendu son rapport sur elle aujourd'hui.

— Et ?

— Et elle ne s'appelle ni Beatrice ni Ballingham.

Sarah soupira.

— C'est tout de même triste de devoir enquêter sur un membre de sa propre famille.

— Dans ce cas, c'était nécessaire, répondit-il. Son vrai nom est Casey Winters. Elle est née au fin fond de l'Oklahoma, et s'est mariée à vingt ans. Elle a trois enfants, qui vivent avec sa sœur. Et devine qui leur envoie de l'argent chaque mois ?

— Cela ne fait pas d'elle une mauvaise personne. Ni même une meurtrière potentielle.

— Peut-être, mais nous savons maintenant qu'elle est une menteuse, dit-il en serrant les mâchoires. Elle a raconté à mon grand-père qu'elle avait été inscrite dans les meilleurs pensionnats européens, et qu'elle a ensuite abandonné ses études à Vassar pour devenir mannequin.

Après un court silence, il reprit d'une voix dans laquelle se devinait toute sa détresse :

— Si jamais il arrive quoi que ce soit à grand-père… Il est la seule famille qui me reste, la seule personne au monde qui ait de l'affection pour moi. Qui m'aime.

— Ce n'est pas vrai, dit-elle en prenant sa main.

Il posa alors son regard sur Sarah, et il sentit son cœur se serrer. Mais avant qu'il n'ait eu le temps de lui demander de préciser sa pensée, la porte de la chambre s'ouvrit et le médecin en sortit. Immédiatement, Michael se leva, imité par Sarah.

— Alors ?

— Seamus Wolff est le plus solide homme de soixante-dix sept ans que je connaisse, répondit le Dr Kluver. Il devrait se remettre sans aucune séquelle.

Michael put enfin respirer de nouveau.

— Merci, docteur.

Sarah s'éclaircit la voix :

— J'ai entendu les secouristes mentionner un possible empoisonnement.

— C'était une manière de parler, répondit le médecin. Seamus a avalé un peu trop d'alcool pour la quantité d'antalgiques qu'il prend.

— Mais ce n'est pas possible ! J'ai enlevé tout l'alcool de sa chambre.

— Pas tout à fait, corrigea le médecin. La carafe de la table de nuit est pleine de gin.

— De gin ? répéta-t-elle, abasourdie, et le regard rempli de remords.

— Je t'en prie, lui dit Michael, avant qu'elle ne commence à se faire des reproches. Mon grand-père a toujours été têtu. S'il voulait boire, rien ni personne n'aurait pu l'en empêcher.

— Tu ne comprends pas. C'est ma faute. Je l'ai fait parler du passé. De la lettre.

— Je ne sais pas si cela vous aidera à vous sentir mieux ou non, intervint le médecin, mais Seamus a reconnu qu'il remplissait son pichet de gin depuis une semaine. Il semble seulement qu'il ait un peu trop forcé la dose, cette fois.

— Ce qui fait de moi une bien piètre garde-malade. Tu n'as visiblement pas choisi la personne idéale pour ce travail, dit Sarah, en levant les yeux vers Michael.

Le médecin reprit la parole :

— Je dois partir. N'hésitez pas à m'appeler en cas de problèmes. Et cachez toutes les bouteilles de gin de la maisonnée !

— Comptez sur nous, répondit Michael. Merci pour tout, docteur Kluver. Je vous remercie d'être venu.

Serrant la main de Michael, le Dr Kluver rit.

— Je ne pense pas que Seamus soit de votre avis. A la seconde où il a repris connaissance, il m'a demandé de déguerpir. Il pense que je vais lui faire payer une fortune pour une visite à domicile. Ce qui est le cas.

Le médecin riait encore pendant qu'il s'éloignait. Michael attendit qu'il soit hors de vue avant de se tourner vers Sarah.

— Je t'interdis formellement de culpabiliser pour ce qui est arrivé.

Avec un pâle sourire sur les lèvres, elle répondit :

— Michael, tu ne peux pas décider pour les autres.

Elle n'avait pas besoin de le lui rappeler. S'il pouvait tout diriger, sa mère ferait toujours partie de sa vie. Son père ne serait pas mort dans un accident d'avion. Et Sarah ne souhaiterait pas le quitter.

— Je vais bien, lui assura Sarah. Vraiment.

Ensuite, elle le poussa gentiment vers la chambre de Seamus.

— Maintenant, va voir ton grand-père.

Michael pénétra dans la chambre, se rendant compte trop tard que Sarah ne l'avait pas suivi. Il en ressentit un vide immense.

Seamus l'observait depuis son lit, ses paupières mi-closes. Toutefois, il réussit à marmonner quelques mots avant de s'endormir :

— L'amour est un enfer, mon garçon.

Michael sortit de la chambre de Seamus au moment où la pendule de l'entrée sonnait 23 heures. Son grand-père avait dormi presque toute la soirée, et Michael était resté à son chevet pour s'assurer que tout allait bien.

Beatrice était demeurée, elle aussi, près du lit de son mari, avant de se retirer dans une autre chambre en prétextant ne pas vouloir troubler le sommeil de Seamus.

Ainsi, tous les habitants de la résidence Wolff dormaient seuls, ce soir. Il ralentit le pas en passant devant la chambre de Sarah, se rappelant la conversation qu'ils avaient eue un peu plus tôt.

— Il est la seule personne au monde qui ait de l'affection pour moi. Qui m'aime.

— Ce n'est pas vrai, avait répondu Sarah.

Michael s'arrêta, le sang cognant à ses tempes. Qu'avait-elle voulu dire ? Si le médecin n'était pas sorti au même moment de la chambre de son grand-père, il aurait demandé — non, *exigé* — une réponse de sa part.

Serait-il possible que Sarah Hewitt ait de l'affection pour lui ? Qu'elle l'aime ?

Il regarda longuement la porte de sa chambre, comprenant qu'il ne pourrait jamais voir au fond de son cœur, qu'il ne saurait jamais vraiment si elle l'aimait. Mais pour l'instant, il s'en moquait. Il voulait seulement ne plus jamais être seul.

Alors, il frappa doucement à la porte. Il sentit ses mains devenir moites pendant qu'il attendait que la porte s'ouvre, comme un lycéen sur le point d'inviter une jeune fille à son premier rendez-vous.

Il jeta un coup d'œil à ses vêtements, et grimaça en constatant qu'ils étaient froissés. Arrangeant rapidement sa cravate, il essaya de trouver quelque chose d'intelligent à dire à Sarah quand elle ouvrirait la porte. Quelque chose qui la ferait sourire.

Mais il n'en eut pas l'occasion, parce que la porte ne s'ouvrit pas.

Il leva la main pour frapper une seconde fois, puis se ravisa. Soit elle dormait soit elle ne souhaitait pas le voir. Dans le premier cas, il ne voulait pas la réveiller. Dans le second…

Alors, il n'eut pas d'autre choix que de faire demi-tour et partir. Parce que Michael Wolff n'avait pas pour habitude de supplier une femme. Même pas le Petit Chaperon Rouge qui avait ensorcelé son cœur.

13.

Une semaine plus tard

— Je suis venue vous dire au revoir, annonça Sarah en entrant dans la chambre de Seamus.

Le vieil homme se tenait près de la fenêtre, appuyé sur sa canne.

— Vous me quittez déjà ?

— Vous m'avez renvoyée, vous vous en souvenez ? répondit-elle en souriant.

En réalité, il n'avait pas eu besoin de son aide depuis plusieurs jours. Il était désormais capable de marcher avec sa canne, et même de monter et descendre l'escalier. Il ne passait presque plus de temps dans son lit, et il avait même jeté ses médicaments suite à l'accident arrivé à cause du gin.

— Je ne pense pas que mon petit-fils ait vraiment envie de vous voir partir, dit-il en se tournant vers elle.

Sarah tenta de garder son sang-froid face à la détresse qui menaçait de la submerger. L'autre soir, elle lui avait quasiment offert son cœur, mais Michael agissait comme s'il ne s'était jamais rien passé. Il était temps qu'elle affronte la vérité en face : Michael Wolff ne voulait plus d'elle, et il fallait qu'elle reprenne sa vie en main avant de se perdre complètement.

— Je suis sûre qu'il s'en remettra, dit-elle avec un entrain forcé.

— J'en doute. Il est amoureux de vous.

Immédiatement, le visage de Sarah s'empourpra.

— Il vous l'a dit ? ne put-elle s'empêcher de lui demander.

— Croyez-moi, je le sais. Il n'y a qu'à voir de quelle manière il vous regarde.

Seamus s'appuya sur sa canne et marcha en boitant jusqu'à un fauteuil, dans lequel il se laissa lourdement tomber.

Sarah ne savait pas quoi répondre. Michael ne lui avait en aucune manière exprimé ses sentiments, ni même le fait qu'elle lui manquerait après son départ.

Pour preuve, Michael semblait avoir disparu. Il savait pourtant qu'elle partait ce soir, et il n'avait même pas pris la peine de lui dire au revoir.

— Il est entêté, reprit Seamus, en lisant le doute sur le visage de la jeune femme. Et orgueilleux. C'est de famille.

Sarah comprenait, mais elle aussi avait sa fierté. Or, elle lui avait déjà avoué les sentiments qu'elle lui portait. Que pouvait-elle faire de plus ?

Elle s'agenouilla à côté du fauteuil, et embrassa la joue de Seamus.

— Au revoir, Nappy.

— J'ai horreur des adieux, marmonna-t-il en évitant son regard. Filez.

Lentement, Sarah se releva, le cœur serré. Il n'y avait rien de plus à dire. Par ailleurs, Seamus ne voudrait certainement pas qu'elle reste s'il apprenait qu'elle était une Hewitt, et il voudrait encore moins d'elle pour son petit-fils.

Elle sortit de la chambre du vieil homme, puis se dirigea vers la sienne. Ses bagages étaient déjà dans sa voiture, et il ne lui restait plus qu'à prendre son sac et son chien, et elle pourrait rentrer chez elle.

*
* *

La première chose qu'elle remarqua en entrant dans sa chambre fut Napoléon profondément endormi sur le lit.

Ensuite, elle remarqua le boîtier de la cassette vidéo posé sur la commode. Elle le prit. Il contenait la cassette 8 mm de la caméra de surveillance.

Michael avait tenu parole.

Après avoir allumé le poste de télévision, elle chercha sur l'étagère voisine un adaptateur qui lui permettrait de visionner la cassette avec le magnétoscope.

Elle introduisit la cassette, et appuya sur le bouton d'avance rapide de la télécommande, regardant les images muettes défiler devant ses yeux. Elle souhaitait effacer les preuves de la culpabilité de son grand-père le plus rapidement possible.

Soudain, son estomac se noua. Elle arrêta le magnétoscope, repartit en arrière, et regarda de nouveau, n'osant en croire ses yeux.

La cassette ne montrait pas son grand-père en train de voler le collier de diamants, mais Michael et elle faisant l'amour !

Quand Sarah déboula dans le bureau privé de Michael, au premier étage, la solide porte de chêne cogna lourdement contre le mur. Il ne l'avait jamais vue aussi furieuse.

— C'est quoi, ça ? demanda-t-elle, en brandissant la cassette 8 mm.

Michael se leva lentement, pour le moins décontenancé.

— La cassette de la caméra de surveillance. J'ai pensé que tu aimerais l'avoir.

Elle s'approcha du bureau, et posa la cassette d'un geste rageur, son regard d'émeraude dévoré par la colère.

— L'avoir ? Pour quelle raison ? En souvenir ? Comme un douloureux rappel de ma stupidité ?

— Je ne comprends pas de quoi tu parles.

— Je parle du fait que tu m'aies menti. On ne voit pas mon grand-père sur cette cassette. C'est…

Elle ferma les yeux quelques instants, avant de demander :

— Promets-moi seulement qu'il n'existe pas de copies.

Sans un mot, Michael prit la cassette et se dirigea vers le meuble télé de son bureau. Il introduisit la cassette dans le magnétoscope et vit apparaître l'image en noir et blanc du panneau dissimulant le coffre-fort de sa chambre.

Les images étaient datées du 22 décembre, soit le jour où Bertram avait subtilisé le collier. Seulement, la cassette vidéo ne montrait rien du vol. De toute évidence, Bertram avait deviné la présence de la caméra, et il avait tourné l'objectif dans une autre direction.

Vers le lit. L'angle de la caméra offrait un plan d'un mètre cinquante sur un mètre cinquante du lit rond, le reste de la chambre n'étant pas visible.

Chaque cassette contenait environ une dizaine de jours de prises de vues. Michael appuya sur le bouton d'avance rapide. La date du 31 décembre apparut et il devina la suite.

Il lâcha le bouton juste à temps pour voir Sarah, déguisée en Petit Chaperon Rouge, se cacher dans son lit puis refermer hâtivement les tentures derrière elle.

Quelques secondes plus tard, il vit le haut de son déguisement de loup voler dans les airs. Puis ses pantalons. Ensuite, il passa devant l'objectif, vêtu uniquement d'un caleçon, et il devina que c'était au moment où il s'était gratté le dos avec la flèche.

Michael sentit sa bouche se dessécher en se voyant approcher du lit et ouvrir les tentures d'un coup sec. Il se rappela le désir qui lui avait enfiévré le sang au moment où il avait découvert sa présence, et son bas-ventre tressaillit.

Il vit l'expression surprise de Sarah sur la cassette, l'éclair de panique dans ses yeux verts.

Comme la caméra de sécurité n'enregistrait que des images, il ne pouvait entendre leur conversation. Toutefois, cela ne rendait les événements de cette nuit que plus clairs, car il pouvait observer les réactions de la jeune femme plutôt que de se concentrer sur ses paroles.

Il vit d'abord le rouge profond de ses joues alors qu'elle levait le regard vers lui, puis la crispation de son corps quand il vint s'asseoir à côté d'elle.

Michael se détourna un moment de la télévision pour regarder Sarah qui se tenait à côté de lui, et qui l'observait.

Sa colère avait disparu.

— Tu ne savais pas que l'objectif de la caméra avait été dévié ?

Incapable de parler, il se contenta de secouer la tête avant de se tourner une nouvelle fois vers la télévision. Il se regarda embrasser la jeune femme, et il vit alors ce qu'il n'avait pas compris l'autre soir.

Elle ne l'embrassait pas en retour. Elle gardait ses deux bras de chaque côté de son corps, serrant les draps dans ses poings alors que lui dénouait la cape. On aurait presque pu croire qu'elle subissait ses caresses.

Cette constatation laissa à Michael un goût d'amertume. Il s'était toujours enorgueilli de savoir satisfaire les femmes, de pouvoir anticiper leurs désirs. Mais les images lui indiquaient sans doute possible qu'il s'était cette nuit-là comporté en égoïste, aveuglé par le désir qu'il éprouvait pour Sarah.

— Tu aurais dû m'arrêter, finit-il par dire.

— Je sais, répondit-elle dans un murmure. Mais je n'avais aucune envie d'arrêter.

Les paroles de la jeune femme le remplirent d'un sentiment indéfinissable. Mais en continuant à regarder l'écran de télévision, il comprit qu'elle disait la vérité.

Il vit le corps de Sarah se détendre pendant qu'elle passait les bras autour de son cou et commençait enfin à lui rendre son baiser. Elle inclina la tête vers l'arrière et ses paupières se fermèrent doucement pendant que la bouche de Michael parcourait son cou délié. Il la vit mordre sa lèvre inférieure et promener ses doigts fins sur son torse nu.

Michael était hypnotisé par les images qui se déroulaient devant lui. Le désir prit possession de tout son corps, tellement conscient de la présence de la jeune femme qui se tenait à côté de lui — la même jeune femme à qui il faisait l'amour sur l'écran. Il ne pouvait pas s'autoriser à la regarder maintenant, à la toucher, sans risquer de perdre complètement le contrôle de lui-même.

Il ne pouvait pas, non plus, lui cacher son désir, qui se devinait sous le tissu de son pantalon noir.

Prenant une profonde inspiration, Michael se rendit soudain compte que Sarah ne regardait plus l'écran mais qu'elle le regardait, lui.

Elle se tourna, puis posa légèrement une main sur la boucle de sa ceinture. Ensuite, ses doigts glissèrent vers le bas pour effleurer le bout de son sexe.

Il laissa échapper un grondement profond et ferma les yeux. Toutefois, il ne bougea pas, son corps tremblant d'impatience. Il avait laissé sa passion prendre le dessus une fois. Cette fois-ci, c'était à Sarah de mener le jeu.

Ce qu'elle fit. Prenant sa main, elle l'entraîna vers l'imposant bureau d'acajou. Ensuite, elle lui fit prendre appui contre le meuble, le rebord dur de bois s'enfonçant à la base de sa colonne vertébrale. Mais cet inconfort mineur fut vite oublié quand elle appuya son corps souple contre lui, se dressant sur la pointe des pieds pour mordiller sa lèvre inférieure. Michael s'agrippa des deux mains au bureau comme elle commençait à déboutonner lentement les boutons de sa chemise, tout en faisant onduler ses hanches contre le bassin de Michael. Encore et encore. Ce contact intime était une douce torture, et il craignit de ne pas pouvoir résister longtemps.

Heureusement, Sarah tira les pans de sa chemise hors de son pantalon avec urgence, avec une respiration aussi haletante que celle de Michael. Ensuite, elle fit glisser la chemise sur ses épaules, pendant que son regard dévorait les muscles durs de son torse. Elle se pencha vers l'avant pour promener sa langue sur un mamelon plat pendant que ses doigts tentaient de défaire la boucle de ceinture de son pantalon.

Michael sut à cet instant qu'elle le tenait entièrement à sa merci. Comme la première fois où ils avaient fait l'amour.

Son contrôle sur elle n'avait été qu'une illusion. Un mensonge qu'il s'était raconté chaque fois que son désir d'elle avait menacé l'engloutir.

Michael ne pouvait nier la vérité plus longtemps. Il avait besoin d'elle. Pas seulement de son corps, mais aussi de son âme et de son cœur. Il la voulait entièrement. Chaque jour. Et pour le reste de sa vie.

Mais elle ? Le voulait-elle autant que lui ? Le doute au sujet des sentiments véritables que lui portait Sarah était toujours tapi au fond de son esprit. Un doute qu'il voulait oublier. Maintenant et pour toujours.

Pendant qu'elle se débarrassait de ses vêtements, Michael tendit la main vers l'arrière et balaya tout ce qui encombrait son bureau. Les dossiers et les papiers s'éparpillèrent sur le sol. Peu importe. Plus rien ne comptait, à part son envie de tenir Sarah dans ses bras.

S'allongeant sur le bureau, il l'attira sur lui, s'enivrant de la tiédeur de sa peau douce, veloutée, et de la perfection avec laquelle les courbes de son corps épousaient le sien.

— J'ai besoin de toi, murmura-t-il contre ses lèvres. Maintenant.

Sarah savait qu'elle ne pouvait reculer. Elle ne voulait pas reculer, pas quand elle percevait en lui une urgence qui était plus que physique. Et qui touchait presque son âme.

Michael souleva les hanches de la jeune femme et s'immergea profondément dans sa chaleur, lui faisant oublier toute pensée rationnelle. Ils entamèrent une danse rythmique et sensuelle — tout comme le couple que l'on voyait sur l'écran de télévision.

Ils explosèrent de plaisir au même moment, leurs cris se mêlant dans une harmonie primitive. Alors qu'ils se tenaient enlacés l'un à l'autre, Sarah se rendit compte qu'elle avait jusque-là tenu son cœur captif.

Désormais, elle était libre.

Le hurlement d'un loup solitaire réveilla Sarah, qui était blottie dans l'étreinte protectrice des bras de Michael. Il l'avait portée en haut, dans sa chambre, aux alentours de minuit et tendrement, lentement, il lui avait de nouveau fait l'amour.

Lançant un coup d'œil vers la table de nuit, elle vit que le radio-réveil indiquait 4 heures du matin.

Un aboiement familier lui parvint de la pièce voisine, et Sarah devina que Nappy répondait à l'appel du loup. Après trois autres aboiements, Michael finit par ouvrir les yeux.

— Ton chien va réveiller tout le monde, dit-il d'une voix endormie.

— Je sais, répondit-elle en se penchant pour déposer un baiser au coin de sa bouche. Mais il ne mord pas. Comme toi.

Des étincelles de désir s'allumèrent dans les yeux gris de Michael, et il l'attira contre lui.

— Si j'ai bonne mémoire, c'est plutôt toi qui aimes mordre.

— Ce sont des morsures d'amour, précisa-t-elle, en attrapant la lèvre inférieure de Michael entre ses dents.

Une démonstration qui se transforma rapidement en un baiser, profond et sensuel.

Toutefois, les aboiements redoublés de Napoléon les incitèrent à mettre fin à leur baiser.

— Il ne va donc pas arrêter ? demanda Michael, en se redressant.

Sarah vint se blottir contre lui, sa tête nichée dans le creux de son épaule.

— Pourquoi détestes-tu les chiens à ce point ?

— Embrasse-moi encore, et je te le dirai.

Sarah n'était pas dupe. Elle savait que si elle l'embrassait, ils ne s'arrêteraient pas — ce qui n'était pas une catastrophe en soi, mais elle n'aurait toujours pas obtenu la réponse à sa question.

Alors, elle prit appui sur un coude et plongea son regard dans celui de Michael :

— Dis-moi d'abord, et ensuite je t'embrasserai.

Il soupira.

— Je ne déteste pas les chiens. Mais je n'aime pas en avoir chez moi. Ils me mettent… mal à l'aise.

Elle caressa la joue de Michael, goûtant au contact râpeux de la barbe naissante sur sa peau.

— Tu n'as jamais eu de chien, alors ?

Il prit la main de la jeune femme dans la sienne et la porta à sa main.

— Si, répondit-il en embrassant chacun de ses doigts. J'avais neuf ans.

La bouche de Michael glissa ensuite vers l'intérieur de son poignet, ses lèvres s'attardant sur le point où battait son pouls. Il ne faisait aucun doute qu'il pouvait sentir combien il affectait les battements du cœur de Sarah. Sa bouche sensuelle remonta lentement le long du bras de la jeune femme, mais elle n'était pas disposée à se laisser distraire de la conversation en cours.

— Combien de temps l'as-tu gardé ?

— Huit jours.

Huit jours ? Quel petit garçon garde un chien pendant seulement huit jours ? A moins que quelque chose d'horrible ne soit arrivé. Un accident ?

Michael embrassait maintenant son épaule, sa bouche se dirigeant vers sa clavicule, puis plus bas encore. Ses seins se tendirent d'anticipation.

— Pourquoi seulement huit…

Mais Sarah s'interrompit quand la bouche de Michael se posa sur un mamelon.

Se cambrant, elle gémit pendant qu'il taquinait un sein avec sa langue, avant de passer à l'autre.

Toutefois, elle était déterminée à obtenir une réponse complète, ce qui n'était pas évident alors que la main de Michael remontait entre ses cuisses.

— Pourquoi… seulement… huit… jours ?

— Parce que j'ai demandé à mon grand-père de le vendre.

— Mmm… Pourquoi ?

Le souffle tiède de Michael caressa le bout de son téton tendu. Ensuite, il roula au-dessus d'elle, l'embrassant pleinement sur la bouche.

— Je n'arrive pas à me concentrer si tu me poses sans arrêt des questions.

Elle savait maintenant que son intuition avait été la bonne : son chien rappelait à Michael des souvenirs qu'il préférait oublier. Des souvenirs qui expliquaient la douleur qu'elle lisait dans ses yeux.

Nouant les bras autour du cou de son compagnon, elle murmura :

— Je t'aime, Michael Wolff.

Ensuite, elle lui donna un baiser long et profond, espérant trouver comment lui faire oublier sa douleur grâce à la force de l'amour qu'elle lui portait.

Bien plus tard, alors qu'elle sommeillait dans les bras de Michael, il répondit enfin à sa question :

— J'ai demandé à mon grand-père de vendre le chien parce que je ne pouvais pas supporter sa présence.

Il marqua une pause, et Sarah attendit en silence qu'il continue.

— Cet été-là, j'étais parti en colonie de vacances en Caroline du Nord. C'était la première fois que je partais aussi loin de la maison, et pour aussi longtemps, reprit-il, en passant ses doigts dans les cheveux soyeux de la jeune femme. Quand je suis rentré, ma mère était partie.

Elle inclina sa tête vers l'arrière pour le regarder, avec la question qui lui brûlait les lèvres. Mais elle ne la posa pas. Il s'agissait de l'histoire de Michael, et elle voulait qu'il la raconte à sa manière.

— Personne ne m'avait dit que mes parents étaient en train de divorcer, et je n'ai pas voulu croire mon père quand il me répétait qu'elle n'était plus là. J'ai regardé dans chaque pièce. Encore, et encore.

Sentant sa gorge se nouer, Sarah posa sa tête contre le torse de Michael.

— Et pendant tout ce temps, il y avait ce chien qui me suivait partout. Il mordillait mes bas de pantalon, mes lacets de chaussures, voulait jouer avec moi.

Sarah commençait à assembler les pièces du puzzle. Elle ferma les yeux, comprenant enfin pourquoi il semblait ne pas supporter la vue de Nappy. Ce chien, comme n'importe quel chien, lui rappelait que sa mère l'avait abandonné.

— Elle ne m'a même pas dit au revoir, murmura Michael, comme si la douleur était toujours aussi intense après toutes ces années. Elle a empoché la coquette somme promise par mon père si elle ne se bagarrait pas pour obtenir ma garde, et elle est partie. C'est pour cette raison que je ne voulais pas du chien. Je ne voulais pas aimer quelque chose ou quelqu'un qui pourrait m'abandonner une fois de plus.

Des larmes brûlèrent les yeux de Sarah. Elle comprenait enfin pourquoi il soupçonnait Beatrice d'être responsable des accidents de son grand-père. Pourquoi il croyait à la malédiction de la famille Wolff. Pourquoi il pensait que l'argent pouvait tout acheter — même l'amour.

Elle passa sa langue sur ses lèvres, encore meurtries par les baisers.

— Je ne sais pas quoi dire.

— Dis-moi que tu vas rester, demanda-t-il en la serrant plus fort contre son grand corps tiède. Nappy peut même rester avec nous, et aboyer autant qu'il veut. Maintenant que je t'ai, Sarah, je n'ai besoin de rien ni de personne d'autre.

Moi non plus, songea Sarah. Toutefois, elle craignait qu'un avenir éventuel avec Michael ne soit surtout synonyme de souffrance. Ses doutes ne le quitteraient jamais, à cause de la blessure provoquée par le départ de sa mère. Malgré les sentiments qu'il lui portait, une partie de lui, même infime, se demanderait toujours si Sarah n'était pas plus attirée par la fortune des Wolff que par sa personne.

Or, Sarah ne pouvait supporter l'idée que des doutes viennent étouffer leur amour et finissent par le faire mourir. Elle ne connaissait qu'une solution pour éviter que cela ne se produise.

Alors, elle ne répondit pas.

14.

Le lendemain matin, Michael fut réveillé par des coups à la porte de sa chambre. Il se leva et enfila son peignoir.

Réveillée elle aussi, Sarah prit appui sur un coude, ses cheveux tombant en cascade sur ses épaules.

— Que se passe-t-il ?

Il la regarda et sut à cet instant qu'il ne se lasserait jamais de se réveiller à ses côtés.

— C'est ce que j'aimerais bien savoir. Reste là.

Tirant les tentures de son lit pour cacher la présence de la jeune femme, il marcha en direction de la porte, prêt à renvoyer l'importun.

Il se retrouva nez à nez avec un officier de police.

— Michael Wolff ? demanda celui-ci.

— Oui.

Derrière l'homme, il pouvait apercevoir d'autres policiers et il entendait les grésillements de leurs radios.

— Pourriez-vous sortir dans le couloir, s'il vous plaît ? J'ai quelques questions à vous poser.

— Quelles questions ? demanda-t-il. Que se passe-t-il ici ?

A ce moment, Beatrice apparut sur le pas de la chambre qu'elle partageait avec Seamus, ses grands yeux bleu pâle écarquillés au milieu de son visage livide.

— Seamus a disparu.

Michael regarda le policier, puis Beatrice.

— Disparu ? Que veux-tu dire ?

— Je veux dire qu'il n'est ni dans sa chambre ni nulle part ailleurs, expliqua-t-elle avec la voix stridente d'une femme au bord de la crise de nerfs.

— Il a quitté la maison ?

Beatrice hocha négativement la tête.

— Non, les voitures sont toutes là. Comme son portefeuille. Il ne peut pas aller bien loin, avec sa canne.

— Et tu as appelé la police ? Pourquoi ne pas m'avoir réveillé d'abord ? demanda Michael.

Beatrice redressa fièrement le menton.

— Parce que nous n'allons pas laisser ton soi-disant détective résoudre le crime, cette fois.

— Cette fois ? répéta le policier, en se tournant vers Beatrice. Y aurait-il eu un autre incident dont nous devrions être informés ?

— Non, répondit Michael.

— Si, répliqua Beatrice. Il y a deux semaines, quelqu'un a forcé le coffre-fort de mon mari. L'unique exemplaire de la version la plus récente de son testament a disparu, et on ne l'a toujours pas retrouvée.

Sortant un carnet, le policier demanda :

— Vous avez signalé ce cambriolage ?

Avec un petit rictus satisfait, Beatrice reprit :

— Michael a persuadé mon mari de ne pas appeler la police. Il a promis de s'occuper de cette affaire seul. Et aujourd'hui… Seamus a disparu.

Michael n'arrivait pas en croire ses oreilles : elle l'accusait à mots couverts d'être responsable de la disparition de son grand-père !

Le policier prit quelques notes.

— Puis-je vous demander qui est le principal bénéficiaire de ce nouveau testament ?

— Moi, dit Beatrice. Il m'a tout laissé.

— Et pour vous ? demanda le policier en s'adressant à Michael.

— Je n'ai ni besoin ni envie de son argent, répondit Michael. C'est complètement fou, comme histoire. Mon grand-père était dans son lit, hier soir. Je le sais, parce que je suis le dernier à l'avoir vu.

Une information que le policier s'empressa de consigner sur son carnet, et Michael eut immédiatement la sensation qu'il aurait dû choisir d'autres mots.

— Il doit bien être quelque part, dit-il en se tournant vers l'escalier, prêt à partir lui-même à la recherche de Seamus.

Mais le policier le coupa dans son élan.

— Nous avons déjà fouillé la maison, monsieur. Et nous aimerions fouiller aussi votre chambre, si vous n'y voyez pas d'objection.

Il hésita, en pensant à Sarah qui était nue dans son lit.

— Bien sûr que non. Donnez-moi quelques instants...

— Nous préférons que vous restiez en permanence avec nous, monsieur, l'interrompit le policier, qui commençait à avoir des soupçons. Pour votre sécurité.

Michael savait bien que ce n'était pas la véritable raison, mais avant qu'il n'ait eu le temps de répondre, Sarah sortit à son tour de la chambre. Elle portait les mêmes vêtements que la veille, légèrement plus froissés. Elle n'avait pas réussi à discipliner ses cheveux et elle était pieds nus, étant donné qu'ils avaient tous deux laissé leurs chaussures dans le bureau de Michael, la veille...

Elle leva un regard inquiet vers Michael.

— Que se passe-t-il ?

— Beatrice pense que Seamus a été enlevé, expliqua Michael. Peux-tu s'il te plaît expliquer à la police que mon grand-père est désormais parfaitement capable de se déplacer seul ? Il doit certainement se trouver quelque part dans la maison.

— Seamus a presque entièrement récupéré toutes ses facultés, confirma-t-elle en se tournant vers le policier. Je me suis occupée de lui ces dernières semaines.

Le regard du policier alla de Sarah à la chambre de Michael, puis revint se poser sur Sarah.

— Puis-je savoir qui vous a engagée ?

— Moi, répondit Michael, les mâchoires crispées.

Ce que le policier s'empressa de noter. Ensuite, il fit signe à ses collègues de fouiller la chambre de Michael.

Comme ce dernier voulait les suivre, le policier l'arrêta.

— Je vous demanderai de bien vouloir attendre ici, monsieur. Nous avons besoin d'interroger chacun des habitants de cette maison.

Michael devina que le policier le considérait déjà comme un suspect. Et quand ses collègues trouveraient dans sa chambre le testament de Seamus, il tiendrait un mobile.

Il ne leur fallut qu'une dizaine de minutes pour étayer leurs soupçons…

Sarah se trouvait au commissariat de police de Denver, trop inquiète au sujet de Michael et de Seamus pour prêter attention à l'agitation matinale qui régnait autour d'elle. L'odeur du café fort flottait dans l'air, et plusieurs téléphones sonnaient en même temps.

Les policiers avaient emmené Michael voilà presque trois heures. Sarah n'avait pas été autorisée à l'accompagner, car les policiers tenaient absolument à l'interroger, comme le reste du personnel.

Elle avait regardé suffisamment de séries policières à la télévision pour connaître ses droits, et quand les policiers avaient commencé à lui poser des questions sur le testament volé et sa relation personnelle avec Michael, elle avait refusé de répondre.

Comme il n'y avait aucune preuve contre elle, ils avaient bien été obligés de la laisser partir, et elle s'était alors immédiatement rendue au commissariat. Pour retrouver Michael.

Après ce qui lui parut une éternité, Michael sortit enfin de l'une des salles d'entretien, l'air hagard et fatigué. Il était accompagné par son avocat, qu'elle reconnut pour l'avoir vu à la soirée d'anniversaire de Michael.

— Je vous tiens au courant, Michael, dit l'avocat.

Il adressa un signe de tête à Sarah, puis sortit.

— Ça va ? demanda-t-elle en s'approchant de Michael.

— Oui, répondit-il en l'embrassant. Viens, sortons d'ici.

Mais l'agitation du commissariat de police n'était rien en comparaison de ce qui les attendait à l'extérieur. Des journalistes les assaillirent de questions pendant qu'ils descendaient les marches, et que les flashes des photographes les aveuglaient.

— Monsieur Wolff, est-ce que la police vous a inculpé d'enlèvement ?

— Est-il vrai que vous avez besoin de l'argent de votre grand-père pour sauver vos affaires, monsieur Wolff ?

— Pensez-vous que votre grand-père, Seamus Wolff, soit toujours en vie ?

Sarah grimaça, puis elle prit la main de Michael dans la sienne et, courant presque, elle l'entraîna vers sa Toyota, dans laquelle ils s'engouffrèrent.

Elle tourna la clé de contact, enclencha la première, puis démarra en trombe, plantant là les journalistes.

— Mais que se passe-t-il ? demanda Michael, abasourdi.

— Apparemment, l'appel concernant la disparition de Seamus a été intercepté par les journalistes qui surveillent la fréquence de la police. Quand ils se sont présentés chez toi, Beatrice ne s'est pas fait prier pour répondre à leurs questions.

— Et elle n'a pas dû se gêner pour faire porter les soupçons sur moi.

— J'en ai bien peur…

Sarah tourna alors dans une petite rue tranquille, se gara sous un chêne, puis elle se blottit dans les bras de Michael. Ils restèrent ainsi enlacés un long moment, sans rien dire.

— Penses-tu que Beatrice soit impliquée dans la disparition de Seamus ? finit par demander Sarah.

Une joue posée sur la tête de la jeune femme, Michael répondit :

— Je ne sais plus quoi penser. Je sens que les policiers ne demandent qu'à m'arrêter, mais mon avocat m'a conseillé de ne pas répondre à leurs questions.

— Excellent conseil. Donc, ils ignorent pourquoi le testament se trouvait dans ta chambre ?

— Exact. Et je n'envisage pas non plus de leur expliquer comment il y est arrivé.

— Mais si nous leur disions…

Il hocha la tête.

— Hors de question que tu sois impliquée, Sarah. J'avouerai tout, et ce sera alors ta parole contre la mienne.

Un mois plus tôt, elle lui avait tenu exactement le même discours, si ce n'est qu'elle pensait alors à protéger son grand-père. Aujourd'hui, c'est Michael qui cherchait à la protéger.

— Tu devrais peut-être rentrer chez toi, suggéra celui-ci.

— C'est avec toi que je suis chez moi, dit-elle avec la plus grande sincérité.

La nuit dernière, la perspective de partager son avenir avec Michael l'effrayait, mais elle ne pouvait pas passer toute sa vie dans la peur. Si Michael pensait, même un tout petit peu, qu'elle l'aimait pour son argent, c'était à elle de trouver comment lui prouver le contraire.

Michael se recula légèrement, pour pouvoir la regarder dans les yeux.

— Chez moi, ce pourrait bien être une prison de l'Etat du Colorado si je suis accusé de kidnapping. Ou pire.

— Mais tu n'as pas kidnappé Seamus ! s'écria-t-elle. J'ai passé toute la nuit avec toi, et je peux te fournir un alibi.

— Beatrice croit déjà que nous sommes complices, et il ne fait aucun doute que la police pensera la même chose.

Sarah n'était pas décidée à abandonner aussi facilement.

— Il doit bien y avoir quelque chose à faire…

— Rentrons, répondit-il avec un air las. Avant que les journalistes ne nous rattrapent.

Sarah acquiesça, et redémarra. Au moins, il n'essayait pas de la rejeter de sa vie une nouvelle fois.

De toutes les façons, elle ne le laisserait pas faire. Contrairement à sa mère, elle n'avait nulle intention de partir autre part.

Le soir, il n'y avait toujours aucun signe de Seamus. Quand les policiers partirent, Michael éprouvait des sentiments mitigés. D'un côté, il était content de ne plus se sentir surveillé en permanence. De l'autre, il avait le sentiment que les policiers avaient abandonné tout espoir de retrouver son grand-père sain et sauf.

Beatrice aussi était partie, refusant de rester sous le même toit que Michael. Celui-ci avait permit à tous les employés de rentrer tôt chez eux, et il ne restait plus que Sarah et lui dans l'immense maison.

Ensuite, il avait laissé Sarah l'entraîner au lit. Non pas qu'il ait beaucoup résisté. Pendant un court et tendre moment, Michael avait réussi à tout oublier, si ce n'est le bonheur de la tenir dans ses bras. Toutefois, contrairement à Sarah, il avait été incapable de s'endormir ensuite. Alors, il était descendu dans le grand salon du rez-de-chaussée pour regarder par l'immense baie vitrée.

La lueur de la lune scintillait sur la neige, et il pouvait entendre un loup hurler au lointain. Et si son grand-père se trouvait dehors, par ce froid, abandonné par des ravisseurs ?

Non, cela n'avait aucun sens. Il n'y avait aucun signe d'effraction ni de lutte. Seuls les aboiements intempestifs de Nappy, la veille au soir, auraient pu leur indiquer qu'il se passait quelque chose d'anormal.

Est-ce que le chien avait essayé de les alerter ?

Il crispa sa mâchoire : il cherchait des réponses, mais il ne trouvait que des questions. Une seule chose était sûre : il protégerait Sarah, coûte que coûte.

A ce moment, Nappy vint le rejoindre dans le salon, ses griffes faisant un petit bruit sec sur le plancher.

— Salut, le chien, murmura Michael, avant de tourner son regard vers la fenêtre.

N'avait-il pas vu quelque chose bouger ?

Il se rapprocha, plissant les yeux pour tenter de mieux distinguer malgré la nuit. Encore ! Il sentit soudain son pouls s'accélérer quand il aperçut un vieil homme sortir lentement de derrière un bouquet de pins.

Son grand-père ?

Michael se précipita dans l'entrée, et ouvrit la porte en grand au moment même où l'homme montait les marches du porche.

Il ne s'agissait pas de Seamus.

Déçu, Michael fixa l'étranger dans les yeux.

— Qui êtes-vous ?

— Où est-elle ? aboya l'homme en retour. Où est ma petite Sarah ?

S'écartant pour laisser passer le vieil homme, Michael répondit :

— Vous devez être Bertram Hewitt.

— Que lui avez-vous fait ? reprit celui-ci, en fouillant l'entrée du regard, comme s'il s'attendait à la trouver enchaînée à un mur. Son visage ridé était rougi par le froid, et ses pantalons étaient maculés de boue et de neige jusqu'aux genoux.

— Entrez, avant de mourir gelé, l'invita Michael.

— Je ne donnerai pas à Seamus Wolff la satisfaction de mourir gelé devant sa porte, répliqua fièrement Bertram. Je suis venu pour ma petite-fille, alors inutile d'essayer de m'arrêter. Le grand portail fermé ne m'a pas empêché de passer, et vous ne me faites pas peur.

Michael, qui distinguait clairement la fureur et la détermination du vieil homme au fond de ses yeux marron, se contenta de hocher la tête.

— Je vous en prie. J'aime trop votre petite-fille pour tenter de vous arrêter.

Bertram devint livide.

— L'aimer ? C'est impossible.

Un mois plus tôt, Michael aurait été d'accord avec lui. Mais entre-temps, Sarah avait trouvé le chemin de son cœur, et peu lui importait désormais de savoir si son argent y avait contribué ou non. Pour un peu, il s'en réjouirait presque, parce qu'il ne pouvait désormais imaginer sa vie sans Sarah.

— Et si jamais vous avez touché un seul de ses cheveux..., gronda Bertram en passant à côté de lui.

— Sarah va bien.

Le vieil homme fit volte-face, avec une agilité surprenante pour son âge.

— Elle n'avait pas l'air si bien que cela quand je l'ai vue aux informations de 18 heures, devant le commissariat de police !

— Elle y était pour moi, expliqua-t-il. Mon grand-père a disparu, et...

— Je sais, l'interrompit Bertram. C'est la meilleure nouvelle de la journée.

En réaction, Michael serra les poings de colère. Sarah souhaitait vraiment protéger ce type ?

Mais ensuite, il repensa à son propre grand-père, tout aussi irascible, et il se dit que l'on ne choisit pas les membres de sa famille. On ne pouvait que les aimer et les supporter, et espérer que tout se passerait pour le mieux.

Or, Michael commençait à douter de plus en plus que la disparition de son grand-père connaîtrait une issue heureuse. Seamus avait disparu depuis bientôt douze heures. La police n'avait aucune piste, n'avait trouvé aucune lettre. Ni aucun corps.

— Je vous repose la question, reprit Bertram en retirant ses gants, et sans prêter attention à la boue qu'il laissait derrière lui : où est Sarah ?

— Elle est en haut, répondit Michael en partant en direction de l'escalier. Au deuxième étage. Suivez-moi.

— Inutile, protesta Bertram en passant devant lui. J'ai laissé une fois un Wolff faire du mal à une femme que j'aimais, reprit-il en agitant un doigt menaçant, et je jure sur la tombe de mon épouse que cela ne se reproduira pas.

Michael le regarda monter, saisi tout à coup d'une appréhension qui lui serra la poitrine. Bertram pourrait-il convaincre Sarah de partir avec lui ?

Il monta aussi au premier étage, en prenant soin de ne pas marcher dans les empreintes boueuses de Bertram. Ensuite, il se rendit dans son bureau. Ce qui se passait entre Sarah et son grand-père ne regardait qu'eux deux — et le vieil homme aimait de toute évidence Sarah autant que lui.

Michael s'assit à son bureau, mais trop de pensées se bousculaient dans son esprit et il était incapable de travailler. Alors, il regarda le téléphone, attendant que la police ne l'appelle pour lui annoncer que son grand-père était retrouvé. Ensuite, il tourna son regard vers la porte, attendant que Sarah ne vienne lui annoncer son départ. Mais la porte resta fermée.

Son regard se tourna alors vers le meuble télé. La cassette de la caméra de surveillance se trouvait toujours dans le magnétoscope. Il se dirigea vers le meuble et récupéra la cassette, la faisant tourner dans les mains. Ensuite, il la réintroduisit dans l'appareil et appuya sur le bouton « Efface ». Si son avocat avait raison et que Seamus ne réapparaissait pas dans les 24 heures, Michael pourrait bien être arrêté. Et Sarah pourrait tout aussi bien être désignée comme sa complice.

Peu importe ce qui arriverait, il ne voulait pas qu'un avocat, qu'un juge ou qu'un jury visionne l'enregistrement et ne gâche cette nuit magique qui les avait réunis.

Une nuit qu'il ne pourrait jamais effacer de son cœur.

Bertram Hewitt ne trouva sa petite-fille nulle part. Pas de doute : le petit-fils de Seamus lui avait menti, comme tout bon Wolff qui se respecte. Il décida donc de descendre, en empruntant un escalier de service. Il connaissait les moindres coins et recoins de cette immense résidence, ayant passé de nombreuses heures à en apprendre le plan par cœur.

De même, les images du journal télévisé de ce soir resteraient à jamais gravées dans sa mémoire. Dans un premier temps, il n'avait pas reconnu sa petite-fille. Il n'avait pas voulu croire que c'était elle. Mais l'expression de détresse de son visage était allée droit à son cœur : sa petite Sarah avait besoin de lui.

Et il ne s'arrêterait que quand il l'aurait trouvée.

Les Wolff la gardaient-ils prisonnière ? Enfermée quelque part contre son gré ? Il ne voyait pas d'autre solution. Il lui avait appris à haïr le nom de Wolff depuis sa plus tendre enfance, et elle ne serait jamais venue ici de son plein gré.

Est-ce que ce voyou de Seamus lui faisait payer le vol du collier de diamants ? Ou le punissait-il pour lui avoir volé la femme qu'il aimait ?

Bertram avait l'impression que cette histoire remontait à hier, et non pas à cinquante années. Anna, en pleurs, lui avouant qu'elle avait laissé Seamus l'embrasser. La bagarre entre lui et Wolff, qu'elle avait toujours ignorée. C'est à ce moment qu'ils avaient compris qu'ils ne pourraient continuer à travailler ensemble.

Bertram regarda autour de lui, dans le couloir, se demandant où il devait commencer à chercher. Si au moins Sarah savait qu'il était à sa recherche, elle pourrait frapper contre un mur, une porte, ou manifester sa présence d'une manière ou d'une autre.

C'est alors qu'il frémit.

Lentement, il se tourna, le regard fixé sur l'autre extrémité du couloir. Il y avait une pièce d'où personne ne pourrait l'entendre, même si elle criait de toutes ses forces. Une pièce dont peu de personnes connaissaient l'existence, pour la bonne raison qu'elle était dépourvue de porte. Ou du moins de porte visible.

Est-ce que les Wolff l'y avaient enfermée ?

L'estomac noué, les genoux tremblants, Bertram partit en direction de cette pièce secrète. Une fois arrivé devant le mur, il ne s'arrêta pas. Il se contenta de pousser le panneau et pénétra dans la pièce.

Ce ne fut pas sa petite-fille qu'il trouva, mais Seamus Wolff.

15.

Sarah retrouva Michael qui dormait sur son bureau, Nappy roulé en boule à ses pieds. Elle posa le plateau qu'elle portait et l'observa en silence. Les traits de son visage étaient détendus, et une mèche de cheveux bruns barrait son front. Lorsqu'elle l'écarta d'un geste léger, il ouvrit les yeux.

— Tu es toujours là ? demanda-t-il, surpris.

— Et où veux-tu que je sois ? répondit-elle en souriant.

— A la manière dont ton grand-père a déboulé ici, je pensais que tu étais partie depuis longtemps.

Elle cligna des yeux.

— Mon grand-père ?

— Il ne t'a pas trouvée ? demanda Michael, en se levant.

— Non, répondit-elle, se demandant si Michael n'avait pas rêvé. Je me trouvais dans la cuisine, à nous préparer de la soupe.

Toutefois, Michael n'accorda pas le moindre regard aux deux bols fumants posés sur le plateau, et il consulta sa montre.

— Cela fait deux bonnes heures que j'ai vu Bertram pour la dernière fois.

— Que faisait-il ici, exactement ?

— Il est venu pour toi. D'après ce que j'ai compris, il t'a reconnue au journal de 18 heures.

— Oh, non ! dit-elle en fermant les yeux.

— Oh, si…

— Lui as-tu expliqué pourquoi je me trouvais ici ?

Michael hocha la tête.

— Comme il était déjà à deux doigts de me casser la figure, j'ai préféré te laisser le soin de le faire.

— Te casser la figure ?

— Il est persuadé que je te garde ici contre ta volonté.

Elle fit alors le tour du bureau et prit le visage de Michael dans ses mains avant de déposer un baiser sur ses lèvres.

— Plus maintenant.

Michael posa ses mains autour de la taille de la jeune femme.

— Au cas où tu ne le saurais pas encore, je suis heureux que tu sois là. Toutefois, ton grand-père n'est pas de cet avis, et je sais qu'il ne serait pas reparti sans toi.

— Dans ce cas, partons à sa recherche, dit-elle en prenant sa main. Et nous lui annoncerons que la vendetta entre nos deux familles est terminée.

Michael ne savait pas par où commencer les recherches — jusqu'à ce qu'il aperçoive les empreintes boueuses que Bertram avait laissées derrière lui.

— On dirait qu'il nous a laissé une piste.

Ils suivirent donc les traces de pas jusqu'au deuxième étage, passèrent devant les chambres, et continuèrent dans le couloir. Les empreintes s'arrêtèrent net, comme s'il était entré directement dans le mur.

— Je ne comprends pas, dit Sarah, en regardant Michael. Où a-t-il pu aller ?

Il n'y avait qu'un seul endroit possible. Un endroit auquel Michael n'avait pas pensé depuis des années même s'il l'avait fasciné pendant son enfance. Le premier propriétaire des lieux avait fait construire une pièce secrète dans laquelle sa famille pourrait se réfugier en cas de problèmes. A l'époque du kidnapping du fils de Charles Lindbergh, c'était une pratique courante chez les gens riches.

Michael tendit le bras et poussa le panneau. Une porte secrète s'ouvrit alors, et Sarah écarquilla les yeux de surprise. Jetant un regard dans la pièce, il comprit pourquoi.

A l'intérieur, Seamus Wolff et Bertram Hewitt étaient assis par terre, une bouteille de whisky bien entamée posée entre eux.

— Enfin sauvés, grogna Seamus en se relevant tant bien que mal. Ne laisse pas cette porte se refermer derrière toi, mon garçon, sinon nous resterons tous dans cette pièce pour l'éternité.

Après un coup d'œil en direction de Bertram, il ajouta :

— L'enfer sur terre, en quelque sorte.

— Grand-père, dit Sarah en rejoignant Bertram. Tu vas bien ?

— Je ne me suis jamais senti aussi bien, répondit l'intéressé, en tendant la main vers la bouteille de whisky.

Toutefois, il manqua son coup et renversa la bouteille, dont le contenu se répandit sur le sol.

— Zut !

— Il doit bien y avoir moyen d'en trouver dans cette maison, marmonna Seamus.

Ensuite, il se tourna vers son petit-fils et se jeta dans ses bras.

— Je te demande pardon.

Michael le tint serré pendant un long moment, puis dit :

— Je suis heureux que tu ailles bien.

— Bien ? s'écria Seamus, en se reculant. Comment peux-tu dire ça, alors que nous venons de renverser notre reste de whisky ?

Souriant, Michael répondit :

— Je pense que tu en as bu suffisamment. Il est temps d'aller te coucher.

Se tournant d'une manière mal assurée vers Bertram, Seamus dit :

— Tu comprends pourquoi je suis obligé de venir boire ici. Ce garçon essaie toujours de me dicter ma conduite.

De plus en plus surpris, Michael demanda :

— Tu veux dire que tu es venu ici de ton plein gré ?

— Bien sûr ! rétorqua Seamus. C'est le seul endroit tranquille dans cette maison, entre ce chien qui a aboyé toute la nuit, et tous ces gens qui se sont promenés dans le couloir.

Ensuite, Seamus tourna son regard vers Sarah, et il la désigna d'une main tremblante :

— Tu savais que cette femme était une Hewitt ?

— Oui, répondit Michael en adressant un tendre regard à la jeune femme.

— Est-ce que cela veut dire que vous vous êtes parlé ? demanda Sarah.

— On n'avait rien d'autre à faire, expliqua Bertram.

Seamus acquiesça.

— Je suis coincé ici depuis hier soir. Ensuite, Bertram est arrivé et j'étais prêt à le récompenser pour m'avoir délivré, mais cet imbécile a laissé la porte se refermer derrière lui.

— Et nous nous sommes retrouvés tous les deux prisonniers, termina Bertram.

— On dirait que cela vous a donné l'occasion de régler vos différends, remarqua Sarah.

— Pas du tout, rétorqua Berrtam. J'entends toujours régler mes comptes avec lui, mais pas tant qu'il aura besoin de cette canne pour marcher. Ce serait trop facile.

D'un pas à la fois menaçant et chancelant, Seamus s'approcha de son ancien ami :

— C'est ce qu'on va voir…

Michael s'interposa :

— Je suggère que nous reprenions cette discussion demain matin.

— Bonne idée, dit Sarah, en prenant son grand-père par le bras. Je vais le reconduire à la maison.

— Il est tard, répondit Michael. Et il n'est pas en état de marcher plus loin que la chambre la plus proche. Il peut rester dormir ici cette nuit.

— Sous le même toit qu'un Wolff ? s'offusqua Bertram. Jamais !

Mais, au même moment, il tituba et se rattrapa de justesse au mur.

— Il n'a jamais tenu l'alcool, ricana Seamus, qui n'était guère plus solide sur ses pieds.

Michael attrapa le bras de son grand-père et le passa autour de ses épaules. Ensuite, il se tourna vers Sarah :

— Je vais coucher mon grand-père, et je reviens ensuite m'occuper du tien.

Elle acquiesça d'un signe de tête. Mais, à en juger par leur récente dispute, le différend entre eux ne semblait toujours pas réglé.

Au moins, Bertram n'avait pas essayé de la séparer de l'homme qu'elle aimait. Il ne lui avait pas non plus demandé de choisir l'un ou l'autre. La bouteille de whisky leur avait laissé un peu de répit, mais pour combien de temps ?

Le lendemain après-midi, ils se trouvaient tous les quatre réunis dans la bibliothèque. Les Hewitt étaient assis dans des fauteuils, d'un côté du tapis persan, et les Wolff se trouvaient en face. Nappy dormait au milieu et Michael se demanda de quel côté il se rangeait.

Seamus et Bertram avaient mal à la tête, mais cela ne les empêchait pas de se lancer des regards noirs.

Michael aimait son grand-père, et il savait combien Sarah aimait le sien. Sarah et lui avaient tout fait pour les protéger, chacun à leur manière, mais l'heure était sans doute venue de leur laisser la responsabilité de leurs actes.

Michael se leva et dit :

— Je pense qu'il est temps que vous sachiez comment Sarah et moi nous sommes rencontrés.

Seamus émit une sorte de grognement.

— Je préférerais savoir pourquoi elle s'est fait passer pour une garde-malade. Certainement pour m'espionner à la demande de Bertram.

Celui-ci se leva à moitié de son fauteuil.

— Je t'interdis ! Ma petite-fille n'est pas une espionne. Je n'ai pas eu besoin d'une espionne pour te voler ce collier. A deux reprises !

— Deux reprises ? répéta Seamus, l'air renfrogné. De quoi parles-tu ? Devrons-nous te fouiller avant que tu ne quittes cette maison ? Ce qui n'arrivera jamais trop tôt en ce qui me concerne…

Sarah se leva à son tour.

— Ça suffit, vous deux. Michael et moi voulons bien répondre à vos questions mais, si vous ne voulez pas écouter, je n'en vois pas l'intérêt.

Ce qui fit taire les deux hommes, temporairement du moins.

— Vas-y, dit Seamus en se laissant tomber dans son fauteuil.

Michael attendit que Bertram soit lui aussi rassis avant de prendre la parole :

— Tout a commencé au cours du bal masqué du nouvel an.

— Je me suis… invitée à la soirée, précisa Sarah, habillée en Petit Chaperon Rouge. Et j'ai attiré l'attention du loup, ajouta-t-elle en souriant à Michael.

Et elle l'avait encore tout entière.

— Nous avons dansé, reprit Michael, et je lui ai demandé de me retrouver à minuit, au moment d'enlever les masques.

— Seulement, j'avais déjà un autre rendez-vous...

Mal à l'aise, Sarah se dandina dans son fauteuil.

— ... Je devais forcer le coffre-fort se trouvant dans la chambre de Michael, pour y remettre le collier de diamants que mon grand-père avait volé quelque temps auparavant.

Bertram se tourna vers elle avec de grands yeux incrédules :

— Le remettre ? Mais ce collier, c'est ton héritage !

— Je devais le faire, grand-père, car il était hors de question que tu retournes en prison.

— Seulement, je l'ai prise en flagrant délit, précisa Michael, qui omit volontairement la nuit inoubliable qu'ils avaient passée ensemble.

Il y avait certains détails que ni Seamus ni Bertram n'avait besoin de connaître.

— Il a cru que j'étais venue voler le collier, expliqua Sarah. Quand je lui ai raconté la vérité et l'ai supplié de ne pas me dénoncer, ni de dénoncer mon grand-père à la police, il m'a proposé un marché.

Seamus, qui s'appuya contre le dossier de son fauteuil, croisa ses bras contre sa poitrine et dit :

— Je suis impatient d'entendre la suite.

Ce à quoi Bertram rétorqua :

— Et moi, j'aimerais bien savoir pourquoi ma petite-fille renoncerait à un collier qui lui revient de droit.

— Tais-toi donc et laisse-les terminer, le houspilla Seamus. Continue, Michael.

Michael prit une profonde inspiration.

— En échange de mon silence, j'ai demandé à Sarah de devenir ta garde-malade et de voler ton testament, dans ton coffre-fort.

— Voler mon testament ? répéta Seamus, qui n'en croyait pas ses oreilles. Pourquoi ?

— Parce que je soupçonnais Beatrice d'avoir causé volontairement tes accidents. Tu venais juste d'en faire ton unique héritière, et la coïncidence était plus que troublante… J'ai même fait faire une enquête sur elle, persuadé qu'elle cherchait à te tuer.

— Eh bien…, soupira Seamus.

Plus pragmatique, Bertram se tourna vers Sarah :

— Si je comprends bien, tu as passé un marché avec ce garçon pour me protéger ?

— Elle était même prête à aller en prison à votre place, ajouta Michael.

Bertram devint livide.

— Bon sang !

Michael se tourna alors de nouveau vers son grand-père :

— Je suis le seul responsable du vol de ton testament. Sarah ne voulait pas le prendre, mais je ne lui ai pas laissé le choix.

— Il y a une chose que tu dois savoir, Michael, déclara Seamus, l'air penaud. Beatrice n'est pour rien dans ces accidents. C'est moi qui ai tout arrangé. Même si le dernier est allé un peu trop loin, ajouta-t-il en frottant sa hanche.

— Tu as saboté toi-même les freins de ta voiture ? demanda Michael, incrédule. Et tu as fait exprès de tomber dans l'escalier ?

Seamus acquiesça d'un petit signe de tête.

— Je sais, c'était stupide de ma part. Mais pas aussi stupide qu'un vieil homme de soixante-dix ans voulant continuer à espérer que sa femme de trente-quatre ans est réellement amoureuse de lui. J'ai arrangé ces accidents pour voir si je comptais vraiment pour elle.

— Bon sang ! répéta Bertram en regardant Seamus.

— Et je sais maintenant qu'elle ne m'aime pas, reconnut Seamus. Du moins, pas de la manière dont un homme espère être aimé.

Tournant son regard vers Bertram, il ajouta :

— Pas à la manière dont Anna t'aimait.

Bertram se gratta la gorge.

— Tu pensais réellement ce que tu m'as dit hier soir, ou bien étais-tu sous l'effet du whisky ?

Seamus hocha pensivement la tête.

— Si j'avais su qu'Anna était malade, j'aurais donné tout ce que j'avais pour la sauver. Je te le jure.

Michael regarda Sarah, et il vit des larmes briller dans ses yeux. Même si ce n'était pas encore une véritable déclaration de paix, il s'agissait tout de même d'un début.

Ensuite, il se tourna vers son grand-père.

— Je crois que je dois des excuses à ta femme.

— Moi aussi, répondit Seamus. Quand elle m'a épousé, je savais que Beatrice ne m'aimait pas mais qu'elle avait besoin de moi. Elle avait besoin de l'argent et de la sécurité que je pouvais lui offrir. Seulement, contrairement à toi, Michael, je me suis montré trop lâche pour en avoir le cœur net.

— Elle avait ses raisons, intervint Sarah. Je pense sincèrement qu'elle n'est pas malhonnête.

— Je suis d'accord, dit Seamus en tendant le bras pour attraper sa canne. C'est pourquoi je vais lui demander de partir, mais avec suffisamment d'argent pour vivre confortablement le reste de sa vie.

— Avant que vous ne partiez, Seamus, j'ai un aveu à vous faire. C'est moi qui ai pris la lettre de ma grand-mère dans votre coffre-fort. Je sais que je n'avais pas le droit de violer votre intimité, mais je voulais la lire, pour essayer de comprendre les raisons de cette guerre entre vous deux.

— Une guerre qui est terminée aujourd'hui, annonça Michael, en rejoignant Sarah. J'aime Sarah et nous allons vivre ensemble.

Un peu trop tard, il se rendit compte qu'il avait parlé sur un ton autoritaire qui ne convenait guère à la situation. Sarah n'était plus sa prisonnière. Elle était libre de prendre ses propres décisions — même si elle décidait de ne pas partager sa vie.

Alors, il ajouta d'une voix étranglée :

— Si elle veut de moi.

Pendant un moment qui lui sembla une éternité, Sarah ne bougea pas et Michael sentit son cœur se glacer au fond de sa poitrine. Mais elle mit fin à son incertitude en se précipitant dans ses bras.

— Je veux de toi, dit-elle enfin, mettant fin à l'incertitude qui étouffait Michael. Je t'aime. Maintenant, et pour toujours.

Ensuite, ils s'unirent pour un tendre baiser jusqu'à ce que Bertram leur rappelle en toussant qu'ils n'étaient pas seuls.

Michael sentit alors Sarah se raidir dans ses bras, et ils se tournèrent vers Bertram. Celui-ci se leva, l'air grave.

— J'aime ma petite-fille plus que tout au monde. Si vous la rendez heureuse…

Bertram marqua une pause, puis il prit une profonde inspiration avant de tendre sa main vers Michael :

— … je ne m'interposerai pas entre vous.

Michael serra la main du vieil homme, surpris par la fermeté de sa poignée de main.

— Ni moi non plus, ajouta Seamus, sortant un écrin de velours bleu de sa poche que tous reconnurent. Et ça non plus.

Personne n'osait bouger ni parler.

— Il y a cinquante ans, j'ai escroqué mon associé en affaires parce qu'une femme avait brisé mon cœur.

Il s'avança en boitillant vers Sarah.

— Je me suis servi de ce collier pour devenir riche et prouver à Anna qu'elle avait fait le mauvais choix. Mais quand je vois combien mon petit-fils vous aime, je sais maintenant que tout se termine pour le mieux.

Quand il ouvrit le couvercle de l'écrin, les diamants se mirent à scintiller de mille feux dans la lumière.

— Ce collier vous appartient désormais, Sarah. Votre grand-père a raison, c'est votre héritage.

Ensuite, il passa le collier autour du cou de la jeune femme, mais il eut des difficultés avec le fermoir.

— Laisse-moi faire, proposa Michael.

Seamus s'écarta.

— Parfait, dit Bertram une fois que le collier fut autour du cou de Sarah. On le croirait fait pour toi.

— Elle est aussi belle qu'Anna, extérieurement et intérieurement, observa Seamus.

— Si tu as de la chance, dit Bertram, elle deviendra peut-être ta petite-fille un jour.

— Je serai fier qu'elle devienne une Wolff.

— Comment peux-tu savoir qu'elle ne conservera pas le nom de Hewitt ? rétorqua Bertram. De nos jours, de nombreuses femmes mariées conservent leur nom de jeune fille.

Se dirigeant vers la porte, Seamus répondit :

— Attendons que ce fichu mal de tête soit passé avant de nous disputer. Si cela t'intéresse, j'ai un excellent remède contre la gueule de bois dans la cuisine.

— C'est à cause de ton tord-boyaux de whisky. On pourrait croire qu'une personne avec tes moyens pourrait s'offrir une meilleure qualité.

— Comme si tu t'y connaissais en bons whiskys ! répliqua Seamus. Te souviens-tu de ce truc que tu avais distillé avec l'alambic que nous avions acheté ? Il faisait même des trous dans le béton.

— Dans ce cas, tu dois avoir l'estomac sacrément solide, parce que tu ne rechignais pas à en boire, dit Bertram en riant. Te souviens-tu du jour où tu as mis trop de maïs ?

— Moi ? Mais c'était ta faute…

Leurs voix s'estompèrent comme ils s'éloignaient tous deux dans le couloir en direction de la cuisine.

— Etonnant, dit Sarah en se réfugiant dans les bras de Michael. Non seulement ils nous parlent toujours, mais en plus ils discutent ensemble.

Michael resserra son étreinte autour de la taille de Sarah.

— Je dirais plutôt qu'ils se disputent ! Où allons-nous pouvoir trouver un peu de tranquillité ? Paris ? Venise ? Vienne ? Ou bien les trois ? demanda-t-il en déposant un baiser sur les lèvres de la jeune femme.

— Et que dirais-tu de la pièce secrète ?

— Excellente idée, répondit-il en l'embrassant une nouvelle fois. Je vais faire réparer la porte pour qu'on ne puisse désormais la fermer que de l'intérieur.

— Sage mesure de précaution…

— Et je serai le seul à en posséder une clé. J'entends bien en faire ma tanière, ajouta-t-il en appuyant son bas-ventre contre celui de Sarah.

— Quel grand… projet, vous avez, monsieur Wolff, le taquina-t-elle.

— Absolument, répondit-il avec un sourire carnassier avant de la soulever dans ses bras. Celui de vivre heureux et d'avoir beaucoup d'enfants.

Épilogue

Une année plus tard

Michael se tenait devant le salon privé du Palace Arms, l'un de ses restaurants préférés de Denver, téléphone portable en main. Il savait que Sarah l'y attendait pour dîner, mais il devait d'abord régler une affaire avec son avocat.

— Oui, je comprends bien les conséquences éventuelles, dit Michael. Et je répète que c'est non.

Ensuite, il coupa la communication et referma son téléphone d'un geste sec.

Depuis que Michael et Sarah avaient annoncé leurs fiançailles cinq mois plus tôt, ses avocats le pressaient de signer un contrat de mariage. Ils avaient même pris la liberté de préparer un projet qu'ils lui avaient soumis.

Michael l'avait déchiré sans même le lire. Il savait bien que signer un contrat de mariage paraissait judicieux compte tenu de sa fortune. Il reconnaissait que les Wolff n'étaient pas toujours heureux en mariage. Il savait que, si Sarah l'aimait vraiment, elle ne se formaliserait pas de signer un contrat de mariage.

Mais lui se sentait mal à l'aise de le lui demander.

En ce qui le concernait, tout ce qui était en sa possession appartenait déjà à Sarah — y compris et avant tout son cœur. Et il ne s'imaginait pas débuter leur mariage en pensant au pire. Il voulait Sarah, un point c'est tout. Et il avait la certitude au fond de son cœur qu'elle l'aimait pour ce qu'il était, et non pour ce qu'il possédait.

Michael pénétra dans la salle à manger privée, et Sarah se leva en le voyant.

— Bonjour, mon amour.

Comme chaque fois, la seule vision de Sarah suffit à faire déborder le cœur de Michael de tendresse. La beauté de la jeune femme lui coupa le souffla. Elle arborait la même robe de soirée blanche qu'elle portait le soir de son anniversaire, ainsi que le collier de diamants qui les avait réunis.

Elle lui avait aussi promis de porter le collier pour leur mariage, qui ne serait célébré que dans quatre longues semaines. Seamus et Bertram s'occupaient d'organiser la réception, à l'occasion de laquelle ils comptaient lancer le whisky sorti des nouvelles distilleries Hewitt & Wolff.

Michael s'avança vers sa fiancée, l'embrassa, puis il la fit rasseoir.

— Tu as l'air d'une vraie princesse. Est-ce que je peux te commander en dessert ?

— Chaque soir de notre vie, promit-elle comme il se penchait pour embrasser sa nuque. Mais pas de grignotage. Nous avons des choses à régler avant.

C'est alors que Michael remarqua une grande enveloppe, posée sur la table, devant Sarah. Elle en tira une liasse de papiers.

— De quoi s'agit-il ?

— D'un contrat de mariage, dit-elle en le lui tendant. J'aimerais que tu le signes.

Surpris, il cligna des yeux.

— Je ne comprends pas…

— Le contrat prévoit que tu renonces à ta fortune en te mariant.

— Renoncer à ma fortune ? répéta Michael, qui comprenait de moins en moins.

Se levant pour lui faire face, Sarah expliqua :

— Je ne t'épouse pas pour ta fortune, Michael. Mais je n'ai aucun moyen de te le prouver. Alors, j'ai pensé que nous pourrions partir de zéro. Que nous pourrions bâtir notre fortune ensemble.

Etrangement, l'idée séduisit Michael, mais c'était complètement fou. Renoncer à *tout* son argent ?

— Tu ne dois pas te rendre compte de ce que tu me demandes, Sarah. As-tu idée du montant de ma fortune ?

— Tu représentes une valeur inestimable à mes yeux, répondit-elle doucement. Mais pas ton argent. Puisque tu cherchais une fondation à laquelle transmettre ton argent, pourquoi ne pas la créer ? Et lui léguer ta fortune aujourd'hui, et non pas dans une soixantaine d'années ?

Mille pensées se bousculaient dans la tête de Michael, et son cœur battait à tout rompre.

— Créer ma propre fondation ?

— Pourquoi pas ? Tu es un homme d'affaires de talent, et tu ferais des merveilles à la tête d'une fondation. En tant que directeur, tu pourrais même décider du montant de ton propre salaire.

— Je pourrais faire ça ?

— Tu peux tout faire, répondit-elle en lui adressant un regard rempli d'amour.

Michael regarda le contrat de mariage, son esprit fourmillant de projets pour cette fondation qu'il imaginait déjà. Alors, il sortit un stylo de la poche intérieure de sa veste et il apposa sa signature au bas du document. Renoncer à sa fortune se révélait beaucoup plus facile qu'il ne l'aurait imaginé.

Presque aussi facile que d'aimer Sarah. Désormais, il savait sans aucun doute possible qu'elle l'aimait. *Que pour lui.*

Et il se sentit l'homme le plus riche du monde.

Le nouveau visage de la collection Or

AMOURS D'AUJOURD'HUI

Afin de mieux exprimer sa modernité et de vous séduire encore davantage, votre collection Or a changé de couverture et de nom depuis le 1er mars 1995.

Rassurez-vous, les romans, eux, ne changent pas, et vous pourrez retrouver dans la collection **Amours d'Aujourd'hui** tous vos auteurs préférés.

Comme chaque mois, en effet, vous y attendent des héros d'aujourd'hui, aux prises avec des passions fortes et des situations difficiles...

COLLECTION
AMOURS D'AUJOURD'HUI :
Quand l'amour guérit des blessures de la vie...

Chère lectrice,

Vous nous êtes fidèle depuis longtemps?
Vous venez de faire notre connaissance?

C'est pour votre plaisir que nous avons imaginé un rendez-vous chaque mois avec vos auteurs préférés, vos AUTEURS VEDETTE dans les collections Azur et Horizon.

Les AUTEURS VEDETTE vous donneront rendez-vous pour de nouveaux livres vedette.

Pour les reconnaître, cherchez l'étoile... Elle vous guidera!

Éditions Harlequin

HARLEQUIN

LE FORUM DES LECTEURS ET LECTRICES

CHERS(ES) LECTEURS ET LECTRICES,

VOUS NOUS ETES FIDÈLES DEPUIS LONGTEMPS?

VOUS VENEZ DE FAIRE NOTRE CONNAISSANCE?

SI VOUS AVEZ DES COMMENTAIRES, DES CRITIQUES À FORMULER, DES SUGGESTIONS À OFFRIR, N'HÉSITEZ PAS… ÉCRIVEZ-NOUS À:

LES ENTERPRISES HARLEQUIN LTÉE.
498 RUE ODILE
FABREVILLE, LAVAL, QUÉBEC.
H7R 5X1

C'EST AVEC VOS PRÉCIEUX COMMENTAIRES QUE NOUS ALLONS POUVOIR MIEUX VOUS SERVIR.

DE PLUS, SI VOUS DÉSIREZ RECEVOIR UNE OU PLUSIEURS DE VOS SÉRIES HARLEQUIN PRÉFÉRÉE(S) À VOTRE DOMICILE, NE TARDEZ PAS À CONTACTER LE SERVICE D'ABONNEMENT; EN APPELANT AU (514) 875-4444 (RÉGION DE MONTRÉAL) OU 1-800-667-4444 (EXTÉRIEUR DE MONTRÉAL) OU TÉLÉCOPIEUR (514) 523-4444 OU COURRIER ELECTRONIQUE: AQCOURRIER@ABONNEMENT.QC.CA OU EN ÉCRIVANT À:

ABONNEMENT QUÉBEC
525 RUE LOUIS-PASTEUR
BOUCHERVILLE, QUÉBEC
J4B 8E7

MERCI, À L'AVANCE, DE VOTRE COOPÉRATION.

BONNE LECTURE.

HARLEQUIN.

VOTRE PASSEPORT POUR LE MONDE DE L'AMOUR.

Composé et édité par les
*éditions*Harlequin
Achevé d'imprimer en décembre 2004

BUSSIÈRE
GROUPE CPI

à Saint-Amand-Montrond (Cher)
Dépôt légal : janvier 2005
N° d'imprimeur : 45389 — N° d'éditeur : 11028

Imprimé en France